CW00538065

Super ET Opera viva

Della stessa autrice nel catalogo Einaudi

Viaggio in Sardegna
Accabadora
Ave Mary
L'incontro
Presente (con A. Bajani, P. Nori, G. Vasta)
Chirú
Futuro interiore
Il mondo deve sapere
Istruzioni per diventare fascisti

Michela Murgia

Stai zitta

e altre nove frasi che non vogliamo sentire piú

Einaudi

Pubblicato in accordo con Agenzia Letteraria Kalama

www.einaudi.it

ISBN 978-88-06-24918-2

Stai zitta

A Raffaele, Ignazio, Mauro, Bruno,
e tutti quelli che hanno fatto del silenzio
una cosa che va rotta.

“Stai zitta”

Stai zitta

Nel maggio del 2020, durante la trasmissione radiofonica che conducevo a Radio Capital insieme a Edoardo Buffoni, avemmo ospite lo psichiatra Raffaele Morelli. La ragione erano certe sue dichiarazioni discutibili rilasciate nei giorni precedenti, che erano state da piú parti indicate come sessiste. Nel corso dell'intervista in cui avrebbe dovuto spiegare l'eventuale equivoco, il professore confermò invece le sue affermazioni e mentre lo incalzavo chiedendogliene conto, accadde una cosa che né io né Buffoni avevamo previsto: Morelli perse completamente le staffe e all'improvviso mi intimò «Zitta! Zitta! Zitta e ascolta! Sto parlando e non voglio essere interrotto!» Il video, ancora reperibile in rete, divenne virale e per giorni si parlò di quell'episodio con incredulità, come se fosse un unicum comportamentale, il caso straordinario di un uomo dai nervi poco saldi che non aveva potuto sopportare di essere contraddetto da una donna.

Purtroppo per gli ottimisti, il tentativo di Morelli di imporre il silenzio a una donna attraverso un canale mediatico non era per nulla un'eccezione. Nel 2008, durante la trasmissione *Sky TG24*, l'allora ministro della Difesa Ignazio La Russa inveí contro la giornalista Concita De Gregorio, che era direttrice dell'«Unità», gridando scompostamente: «Ehi, signora Concita, io non faccio ricorso ai militari morti. Si vergogni! Con la sua faccina educata. Non parli dei militari morti con quel tono! Ha capito? Ignorante che non è altro! Ma vergognati, Concita! Con la sua faccettina cosí! Se lo doveva ricordare lei di dire di parlare dei morti durante la... ma si vergogni! Io, perché sono in difficoltà parlo dei militari morti!! Ma si tappi la bocca! Con un turacciolo se la tappi! Vergogna, Concitina! Vergogna! Non ne parli, guardi. Lei fa bene a non parlarne! Che sull'"l'Unità"... Non ne parli. Mi innervosisco quando lei dice cosa devo fare».

In entrambi gli scontri – quello che ebbi io con Morelli e quello che De Gregorio ebbe con La Russa –, oltre all'intimazione del silenzio si può osservare un interessante passaggio lessicale: lo sbotto comincia con il *lei* di cortesia, ma arriva molto rapidamente al *tu* confidenziale, nel tentativo sin troppo evidente di sminuire la dignità dell'interlocutrice. La Russa, per meglio enfatizzare questo processo di riduzione, apostrofò De Gregorio chiamandola prima con scherno «signora Concita», poi col nome proprio e infine con il diminutivo «Concitina», come se parlasse con una bambina troppo impertinente.

La stessa cosa, nel settembre del 2020, farà con la giornalista Bianca Berlinguer lo scrittore Mauro Corona durante la trasmissione *#cartabianca*. Interrotto dalla conduttrice, che lo redarguisce perché non faccia pubblicità a un marchio che Corona continua imperterrito a nominare, lo scrittore dirà: «Senta Bianchina, la mando in malora e me ne vado! Stia zitta una buona volta, gallina!» Qui la volontà di sminuire l'interlocutrice, oltre all'uso del diminutivo, si spinge fino ad assimilarla alla condizione animale e nell'insulto causa un non so quanto involontario effetto comico, dato che Bianchina è davvero un nome comune usato per le galline nelle aie dove i nostri nonni allevavano gli animali da cortile. I tentativi di ammutolimento di una donna verificatisi sui media italiani negli ultimi anni sono numerosi, ma tutti dimostrano la stessa cosa: la pratica dello «Stai zitta» non è solo maleducata, ma soprattutto sessista, perché unilaterale; invano cerchereste una donna che abbia pubblicamente tentato di imporre il silenzio a un uomo, nemmeno in contesti molto alterati.

Che cosa c'è dietro questa frase? Per quale motivo nella televisione italiana, piú che avvezza a trasmettere programmi in cui la gente usa toni e termini che vanno oltre ogni possibile concetto di contradditorio, la voce di una donna che si alza anche solo leggermente fa scattare una reazione cosí violenta ed esplicita? È interessante anche osservare il fatto che il professor Morelli non ha smesso di essere invitato nelle trasmissioni radiofoniche, l'ex ministro La Russa non ha smesso di essere coinvolto nei talk show politici e lo scrittore Corona – licenziato dal direttore di rete –, se fosse dipeso dalla conduttrice Berlinguer, sarebbe ancora nello stesso programma dove aveva fatto la sua scomposta performance.

Per quale motivo le conseguenze di uno «Stai zitta» sono talmente minime da far pensare a tutti coloro che lo ascoltano che si tratti di una reazione normale nella dialettica con persone di sesso femminile? È come se nella testa di tutti (e tutte) ci fosse qualcosa di insopprimibilmente fastidioso nell'idea che una donna possa non solo avere un'opinione, ma addirittura contrapporla a quella di un uomo, per cui – se lo fa – che si prenda anche le conseguenze che ne derivano. «Lo hai provocato», mi sono sentita dire nella specifica circostanza del confronto col professor Morelli. Io, che credevo di averlo solo contraddetto, ho capito che di tutte le cose che possiamo fare nel mondo come donne, parlare e farlo in modo problematico è ancora considerata la piú sovversiva. Una donna che parla in contraddittorio «provoca». Il resto può passare, ma l'atto di esprimere opinioni divisive va sempre contestato. Sei cantante e dici la tua sui migranti? Continua a cantare e stai zitta. Sei scrittrice e fai un commento su come il governo gestisce l'emergenza pandemica? Scrivi i tuoi libri e per il resto stai zitta. Fai l'attrice e rilasci una dichiarazione sulle scelte collettive per fermare il cambiamento climatico? Eri molto meglio quando facevi i film e stavi zitta.

Le aree semantiche che definiscono una donna che parla sono quasi sempre denigratorie. Se discorre è chiacchierona, linguacciuta, pettegola. Se ribatte è petulante, stridula, sguaiata, aggressiva. Gli aggettivi fanno spesso riferimento all'acutezza del tono vocale, trasmettendo l'idea che il suono della voce femminile aggredisca l'udito piú di quanto potrà mai fare una voce maschile. Un gruppo di uomini che parlano è un consesso dialettico, un gruppo di donne è un pollaio. Quando Corona diede a Berlinguer della «gallina» è esattamente all'uso di quell'immagine che faceva riferimento. Se le donne giovani sono galline, le donne anziane che parlano sono invece cornacchie, secondo un processo di bestializzazione che tende ad accomunare tutte le voci di donna, giovane o vecchia che sia, a uno scontato senso di fastidio.

La donna socialmente gradita è una donna silenziosa, che diletta con qualunque arte, tranne quella oratoria. Il diritto di parola è quello in teoria piú tutelato dalla Costituzione, che non fa distinzioni tra uomini e donne nella potenzialità di espressione. Nell'agorà mediatica la possibilità di parola per le donne è però molto piú ridotta di quella degli uomini, sia in termini di presenza che in quelli di opportunità. La rappresentazione femminile nei media italiani è in grande misura ancora quella riservata a una creatura muta. A Sanremo – tempio del nazional popolare – per decenni abbiamo visto e continuiamo a vedere uomini che presentano e chiosano accompagnati da donne benvestite che si limitano a sorridere alle loro battute. La categoria televisiva della velina bella e zitta è talmente diffusa tra le reti e perdurante nel tempo da non aver bisogno di citarne gli esempi, ma anche nei talk show dove sarebbe possibile esprimersi con competenza condivisa accade che le donne non siano quasi mai presenti o lo siano per motivi diversi dalla competenza. Il risultato è che la sproporzione nella possibilità di parola tra i sessi ha educato per decenni lo spettatore e la spettatrice italiani ad associare l'autorevolezza a un uomo e a vedere nella donna che ha un parere l'eccezione che va motivata.

In rari casi la presenza femminile viene risolta con la conduzione, che è effettivamente un ruolo di prestigio, perché ti consente di dettare temi e tempi, ma ti relega al ruolo della padrona di casa, dove le tue domande costruiranno certamente uno spazio di autorevolezza, ma per le risposte di qualcun altro. Analizzando le trasmissioni di dibattito condotte da donne negli ultimi tre anni in Italia è evidente che il *parterre* degli ospiti – giornalisti, filosofi, scrittori, politici e scienziati – è e rimane costituito in grandissima maggioranza da maschi, perché si suppone che siano loro i soli ad avere le risposte alla complessità del mondo. Non è cosí strano che quando una donna prova a farsi sentire dietro a questo muro di giacche e cravatte venga ricambiata con irritazione e supponenza, paternalismo nel migliore dei casi, con ostilità e l'immancabile invito a tacere nel peggiore.

Il sostrato culturale di questo desiderio di silenzio femminile è anche religioso. Tutte le teocrazie del mondo prevedono che la donna taccia in pubblico e lo stesso cristianesimo, nelle sue prassi – anche per colpa della lettura sessista di alcuni testi paolini –, ha per secoli sconsigliato alle donne la presa di parola nell'assemblea. Parlare è un potere e dare potere alle donne è sempre stata una cosa problematica nei monoteismi. «L'unico femminismo che ci piace è quello silenzioso della Madonna, – scriveva nell'editoriale prenatalizio del 2020 il giornalista di un quotidiano sovranista improvvisatosi teologo, per poi proseguire – è una madre giovane, semplice, dolce, il cui pianto non diventa mai piagnisteo e che ci insegna l'importanza della riflessione interiore».

Il silenzio è una virtú, ma solo se sono le donne a praticarlo. Agli uomini nessuno chiede di tacere le loro riflessioni interiori, anzi sono cosí sollecitati a condividerle che è lecito sospettare che prima di parlare parecchi di loro non abbiano riflettuto a sufficienza. Invece al sesso femminile è consigliato di fermarsi alla fase del pensiero afono, proprio come la Maria di Nazareth che, secondo una certa ermeneutica strumentale tradizionalista, ci venne raccontata come creatura talmente annichilita dalle conseguenze dell'unica volta che ha aperto bocca da non voler aggiungere piú una parola per tutta la vita, dalla mangiatoia di Betlemme alla croce del Golgota.

Il vecchio adagio sessista veneto che immagina la donna ideale come una creatura che *la piasa, la tasa e la resta a casa* (che sia bella, zitta e a casa) è ancora attuale nella testa di molti e molte e viene fuori attraverso un armamentario di frasi che, pur se non arrivano a imporre direttamente il silenzio, comunque lo sottintendono. Eccone un campionario minimo.

Non fare la maestrina.

Sbalordisce ogni volta constatare quanto sia potente il trauma del maschio italiano legato alla figura della maestra delle scuole elementari, irrisolto al punto che ogni donna che puntualizza una questione con un minimo di argomenti validi lo riporta immediatamente a quello stadio dello sviluppo in cui indossava i calzoni corti e stava seduto al suo banchetto mentre l'insegnante gli segnava in rosso gli errori sulla pagina delle aste. Da quel momento, qualunque donna che ragiona con disinvoltura riesce nella magia nera di far tornare l'uomo bambino, scatenando una reazione aggressiva e infantile che ha però il solo effetto di confermare l'avvenuta regressione. Per questo tipo di problemi di gestione con la figura d'autorità di solito si va dall'analista. In Italia ti danno come minimo un posto in un cda. Senza donne.

Fai tu la moderatrice.

Questa frase è ricorrente soprattutto nei contesti culturali, dove gli uomini maschilisti ci sono come ovunque, ma spesso sono abbastanza di sinistra da vergognarsi di ammettere il proprio sessismo persino a sé stessi. Come riuscire nell'equilibrismo di restare sessisti senza esplicitarlo? Non è difficile. Quando vengono composti i palinsesti di festival, programmi radio-televisivi o convegni tematici basta sfoderare quella figura ancillare monosesso, di professione reggi-microfono, che è la moderatrice. Ha una duplice funzione: siede al centro della scena simulando di occuparla, fa all'interlocutore maschio le domande concordate che spezzano per discrezione quel che altrimenti sarebbe il suo monologo, ma non può intervenire né contraddire. Ella esiste sul palco solo per offrire agli organizzatori l'alibi per dire alle femministe «Noi la donna l'avevamo». E pazienza se era lí per far parlare un maschio.

Vuoi sempre avere ragione.

Come tutti, verrebbe da dire quando si sente questa frase. Quando discutiamo e difendiamo una posizione, chi vorrebbe avere torto? Ognuno di noi aspira a spostare l'interlocutore sulla propria posizione con la forza di irresistibili argomenti. Nel momento stesso in cui si accetta un confronto, le ipotesi di sviluppo della situazione possono essere due: si può finire col dire all'avversario un sonoro «Hai torto, resto della mia posizione», oppure gli si può rendere l'onore della resa con un bel «Mi hai convinto». Ma quando è una donna a sostenere il contraddittorio con un uomo, capita spesso che si senta rimproverare anche il fatto di riuscirci bene.

La donna che non vuole irritare l'uomo con cui si sta confrontando deve agognare di avere spesso torto o almeno di non avere sempre ragione. Specialmente quando ha ragione.

“Ormai siete dappertutto”

Ormai siete dappertutto

«Cosa vuoi dimostrare con questo gioco ai cerchietti?»

Quando, ai primi di maggio del 2018, iniziai a contare quante firme di donne comparivano sulla prima pagina dei due principali quotidiani italiani, questa domanda me la sentii rivolgere molte volte, sia da uomini che da donne. Per sei mesi, ogni mattina, su «la Repubblica» e il «Corriere della Sera» cerchiai in rosso le firme delle donne e in nero quelle degli uomini, le fotografai e le postai sui social network, taggando i rispettivi direttori di testata con l'hashtag #tuttimaschi. Quel che volevo dimostrare era piuttosto semplice: non è vero che *le donne sono dappertutto*.

La presunta onnipresenza femminile è una leggenda senza fondamento che ha per varianti mille luoghi comuni: non avete piú barriere, ormai avete conquistato tutte le posizioni, potete fare anche le carabiniere (*sic*), non avete piú niente da chiedere. Quando qualcuna fa notare che c'è un dislivello numerico (in alcuni casi schiacciante) in posti dove sarebbe logico aspettarsi una compresenza, si sente ripetere sempre la medesima sequenza di frasi fatte, il cui sottotesto è chiaro: adesso basta rompere i coglioni con le quote rosa, le vostre nonne potevano avere ragione, ma ora le battaglie devono cessare, perché la guerra tra i sessi è pretestuosa quando si è raggiunta la parità. Anzi – aggiunge qualcuno tra lo scherzo e la minaccia –, se ci mettiamo a contare niente di strano che in certi ambiti occorra addirittura ristabilire le quote azzurre.

È proprio cosí?

Niente affatto, ma trasformarlo in un'evidenza argomentativa nel dibattito pubblico era e resta complicato, perché la prova di quanto sia fittizia la presunta parità possono fornirla solo i numeri e parlare di cifre e percentuali nei discorsi quotidiani è sempre difficile. Del resto, se sul *gender gap* bastasse sventolare le statistiche schiaccianti che l'Istat pubblica ogni anno, nessuno si sognerebbe piú di ripetere la falsità che le donne sono dappertutto. Se questo non succede è perché le persone hanno paura dei numeri, molte non sanno proprio leggerli e dunque, non fidandosene, non osano nemmeno usarli come argomento.

Nel 2018 scelsi di mettermi a contare le firme sui giornali proprio per questa ragione: un quotidiano è un oggetto familiare, ha poche cose da enumerare in una prima pagina e in un modo o nell'altro, che sia a casa, al bar o in ufficio, una volta al giorno passa nelle mani di tutti. In quel rudimentale osservatorio non tenevo conto solo del numero delle donne che scrivevano, ma anche della tipologia dell'articolo che firmavano. In questo modo risultava chiaro che le donne non erano solo pochissime, ma soprattutto sottoimpiegate; quando i loro nomi comparivano sulla prima pagina, quasi sempre erano in calce a pezzi di costume o riflessioni su temi ritenuti di «pertinenza femminile» come il femminicidio, la violenza di genere o la disparità di salario. Non firmavano pezzi politici ed economici se non quelli in cui intervistavano esperti maschi, quindi non era mai la loro competenza a essere messa in evidenza. In sei mesi di conta su entrambi i giornali, i soli editoriali di donne erano traduzioni di testi di figure eminentissime della politica o dell'economia internazionale, vincitrici di premi Nobel o prime ministre di altra nazionalità. Italiane mai.

L'azione del contare le firme nei primi giorni scatenò tre risposte: sarcasmo da parte degli uomini, scetticismo da parte delle donne e un sostanziale fastidio nella categoria giornalistica. La maggioranza inizialmente non attribuiva a quella conta alcuno scopo pratico se non il fare polemica, ma giorno dopo giorno cresceva anche il numero delle persone che effettivamente non si erano mai rese conto dell'imponenza del dislivello di genere negli organi di informazione principali, pur avendolo sotto gli occhi tutti i giorni a colazione. Dopo qualche settimana cominciò a verificarsi una specie di magico contagio del pallottoliere: decine di persone comuni, attraverso i social network, cominciarono a condividere la conta delle presenze anche sugli altri quotidiani, nelle trasmissioni televisive e in generale in tutti gli ambiti in cui si metteva in scena la rappresentazione di una competenza senza le donne. In due anni quella conta non si è mai interrotta, anzi è diventata uno tsunami che ha acceso un faro su ogni circostanza nella quale prima si dava per pacifico che le donne ci fossero, e pure in abbondanza.

Contare è essenziale e rivoluzionario, perché rileva immediatamente il tasso di biodiversità sociale e quindi di giustizia. Bisogna chiedere sempre dove sono le donne. Non c'erano esperte? Non c'erano donne competenti? Non c'erano protagoniste di questo scenario? Vale ovunque. Trasmissioni televisive, conferenze e dibattiti, festival di ogni natura, task force, formazioni governative e amministrative, liste elettorali, organi della magistratura e delle forze dell'ordine, consigli di amministrazione aziendale, premiazioni d'ambito, vertici di partito, primariati ospedalieri, rettorati universitari, direzioni di teatri, di giornali, di musei, di organizzazioni sportive, di istituzioni scientifiche e dei relativi progetti.

Contare le donne rende immediatamente palese il dislivello di presenza (e dunque di rappresentazione) di metà della popolazione del Paese e spazza via con la forza dei numeri la diffusa presunzione che la parità di opportunità sia ormai un traguardo raggiunto. Smettere di contare o non cominciare affatto certifica come irrilevante l'assenza delle donne dai luoghi in cui si progetta e si governa ogni ambito del Paese. Non si può cambiare la realtà da un giorno all'altro, ma nessuna realtà comincerà mai a cambiare se la necessità del cambiamento non diventa evidente a tutti. Finché le donne non potranno esserci per contare, è essenziale che continuino a contare per esserci.

Davanti all'evidenza dei numeri è probabile che anche i piú negazionisti del *gender gap* smettano di dire «le donne sono ovunque». Quello che non smettono di fare è cercare alibi a questa assenza con frasi che ormai abbiamo imparato a riconoscere come miserabili scuse. Mi permetto di esporne una modesta raccolta, nella speranza di non doverle presto sentire mai piú.

Non è vero che ci sono poche donne.

Il primo passo è la negazione dell'evidenza. Solo i numeri la smontano, ma resta un'obiezione interessante: il fatto che l'assenza delle donne non sia nemmeno percepita è la parte principale del problema.

Contano le idee e non chi le porta.

Se fosse vero, dalla composizione di tutti i contesti espressivi dovremmo dedurre che le idee, in questo Paese, le abbiano soprattutto i maschi.

È offensivo coinvolgere le donne solo in quanto donne.

Offensivo è pensare che le donne vogliano essere presenti solo in quanto donne. Nessuna chiede spazio in forza del suo utero. Semplicemente pensiamo che quelle di noi che sanno qualcosa di interessante abbiano lo stesso diritto a dirlo che avrebbe un uomo con quella competenza. Se però nove volte su dieci a dire quella cosa viene chiamato un uomo, le ipotesi sono due: o gli uomini sono effettivamente piú bravi a dirla, o chi li invita ne è convinto.

Allora anche le quote gay, le quote stranieri, le quote per tutto.

C'è un errore di fondo in questo ragionamento: le donne non sono una categoria socioculturale, ma piú della metà del genere umano. Il fatto che si pensi alle donne come a una variante della cosiddetta normalità è significativo, perché rivela che gli uomini sono persone e le donne sono «il genere femminile», l'eccezione che rappresenta solo sé stessa, mentre il maschile è la norma e rappresenta tutti, comprese le persone LGBTQI+, quelle di diversa etnia, le diversamente abili e ovviamente – perché no – anche le donne. Quando c'è un uomo, ci sono tutti.

Non ci sono nomi di donne prestigiosi come quelli degli uomini.

L'assunto sarebbe vero se il prestigio fosse un dato di natura, ma nessuno viene deposto in culla già autorevole. L'autorevolezza non deriva solo da quanto è interessante quello che dici, ma dalla possibilità che quello che dici possa influenzare molte persone. Il prestigio delle competenze maschili si è costruito attraverso decine di occasioni di visibilità che nel tempo alle donne non sono state offerte. Continuare a invitare solo uomini a esprimere il proprio pensiero è un modo per consolidare il pregiudizio che gli unici pensieri prestigiosi siano quelli maschili.

Le donne si rifiutano di venire!

È vero. Molti studi comportamentali dimostrano che le donne prendono cosí sul serio il rischio dell'incompetenza che quando non si sentono all'altezza possono rifiutare un'esposizione che invece un uomo – assai piú soggetto all'effetto Dunning-Kruger che induce perfetti incompetenti a sovrastimarsi – accetterebbe con molti meno scrupoli. Se però a declinare è l'uomo invitato, se ne cerca un altro senza troppe storie. Nessuno pensa che a rifiutarsi con lui sia un intero genere.

Le donne che si occupano di questi temi sono poche.

È falso: le donne competenti che scrivono, pensano, studiano e che interverrebbero non sono meno degli uomini. Sono però molte meno nei luoghi dove si sceglie a chi attribuire gli spazi di parola pubblica. I maschi tendono a vedere solo le competenze maschili e le donne che fanno carriera dentro a un sistema maschilista manifestano la medesima cecità selettiva. Se fai notare quest'ultima circostanza, ti rispondono che, essendo stata una donna ad aver organizzato l'assenza di tutte le altre, quella scomparsa è in realtà un gesto femminista. «Se le ha escluse una donna, vuol dire che persino tra di voi vi considerate meno capaci».

Le donne sono meno competenti.

Chi ha il coraggio di affermarlo ha il mio rispetto, perché sta finalmente ammettendo che esiste una discriminazione nel suo modo di giudicare il lavoro intellettuale delle donne. Solo che, anziché attribuire la colpa di questa discriminazione al suo maschilismo, la attribuisce alle donne stesse, il che è un po' come il noto ragionamento del razzista: «Non sono io che sono razzista, sono loro che sono negri».

Correre appresso alle quote rosa fa perdere un sacco di tempo.

Certo che si perde tempo se prima si fanno gli inviti e dopo ci si chiede «Quante donne ho messo?» Significa che le donne che verranno inserite non risponderanno a un bisogno di rappresentazione del pensiero, ma di rappresentazione delle donne e questo le renderà un fastidioso pedaggio da pagare al politicamente corretto. Progettare un evento in questo modo è faticoso di sicuro, ma la colpa non è nell'esistenza delle donne: è nell'esistenza del maschilismo. Se è complicato costringersi a ricordare che le persone di sesso femminile esistono e fanno pensiero, lo è ben di piú per le donne, costrette a combattere ogni giorno contro i tentativi di essere cancellate dagli spazi dove quel pensiero può essere espresso.

Ma se nell'organizzazione sono tutte donne!

A chi dicesse, di un evento di soli maschi, che sono le donne ad averlo organizzato dietro le quinte, potrebbe essere necessario far notare che è esattamente quella la definizione dell'ancillarità. Che un evento sia stato organizzato o gestito con il lavoro di una donna non può servire in alcun modo a giustificare l'assenza di tutte le altre.

"Come hai detto che ti chiami?"

MA CHE **GENERE** DI PROBLEMA AVETE?

Come hai detto che ti chiami?

Nell'ottobre del 2020 la deputata americana Alexandria Ocasio-Cortez scrisse su Twitter la seguente frase: «Mi chiedo se i Repubblicani si rendano conto di quanto rivelino la loro mancanza di rispetto per le donne nei dibattiti in cui continuamente si rivolgono alle elette del Congresso con i loro nomi propri o soprannomi, mentre usano i titoli e i cognomi quando si rivolgono a uomini di pari grado. Le donne lo notano. Rivela molto».

Leggendo quel tweet la invidiai: evidentemente negli Stati Uniti rivolgersi alle donne usando il nome proprio in modo confidenziale è uno stilema ascrivibile solo alla prassi verbale dei conservatori. Se Ocasio-Cortez venisse a trascorrere un mese in Italia, si renderebbe conto che in qualunque ambito, senza distinzione di ideologia, posizionamento sociale o competenza, dal titolo di giornale all'ultimo degli uffici, per le donne è praticamente impossibile riuscire a farsi chiamare col cognome o con il titolo professionale.

Pare che una donna che occupa una posizione sociale prestigiosa, per gli italiani rimanga un evento talmente alieno da scatenare all'istante il bisogno di ricondurla a un ambito di familiarità e contenzione, quantomeno verbale. Le dottoresse in corsia si sentono chiedere ancora dov'è il dottore. Le avvocate subiscono la riduzione a «signorina», mentre per i loro colleghi vale giustamente il titolo. Le astronaute sono AstroSamantha o Astromamma, una specie che negli esemplari di sesso maschile mantiene invece nome, cognome e carica militare. Il caso piú riscontrabile è quello delle donne che ricoprono alte cariche nell'amministrazione dello Stato e nel governo, specialmente se giovani e piacenti. Lo sanno bene Boschi, Azzolina, Raggi, Appendino, Serracchiani, Meloni e svariate altre, sistematicamente apostrofate nei titoli dei giornali come Maria Elena, Lucia, Virginia, Chiara, Debora, Giorgia ecc.

Chiamate col nome di battesimo, queste donne di potere, con titoli di laurea, spesso poliglotte, che hanno guidato ministeri, amministrato regioni o città di milioni di abitanti o retto vent'anni di militanza partitica diventano di colpo tutte nostre cuginette, amiche delle nostre figlie, svampite ragazzine alla prima uscita. Perché è questo che fa l'uso del nome proprio delle donne in contesti non confidenziali: riduce la distanza simbolica, esprime paternalismo, agevola l'uso del *tu* familiare e diminuisce l'autorevolezza della funzione ricoperta, riportando la donna alla condizione di principiante, con il sottinteso che, in quanto tale, sia incapace di reggere la responsabilità che porta.

Questa negazione di identità sociale non si ferma nemmeno davanti ai confini. Le donne politiche straniere usufruiscono infatti dello stesso trattamento di familiarità non richiesta, tanto che Hillary, per i giornali italiani, ancora non ha un cognome; Angela, per anni, non lo ha avuto e l'elezione di Joe Biden ci ha portato all'attenzione anche quella strana creatura a lui connessa che per i giornalisti nostrani pare chiamarsi solo Kamala.

Nel caso in cui si riesca nel difficilissimo esercizio di

pronunciare un cognome di donna, l'italiano medio deve aggiungerci tassativamente un articolo determinativo: la Boschi, la Raggi, l'Azzolina, la Clinton e la Merkel. Applicare a un cognome di donna l'articolo determinativo significa comportarsi con un nome di persona come ci si comporterebbe con un nome di cosa o con un'entità spersonalizzata, una specie di fenomeno paranormale che fa categoria a sé.

Mi si ribatte che non è denigrazione, perché è usanza dialettale del Nord aggiungere l'articolo ai nomi propri di femmine e maschi, senza distinzione. Se fosse vero, l'uso dell'articolo davanti al nome non sarebbe una prerogativa delle donne. Invece nessuno ha mai commentato cosa avevano detto il Berlusconi, il Salvini, l'Andreotti, il Cossiga, il Zingaretti o il Di Maio. Se in un elenco di persone chiamate per cognome sono solo quelli femminili ad avere l'articolo, l'effetto discriminatorio risulta istantaneamente efficace e chi lo usa con consapevolezza lo sa benissimo. In uno studio televisivo mi capitò di interloquire con il direttore di un giornale che insisteva a rivolgersi a me come «la Murgia»; quando gli specificai che la Murgia è un altopiano della Puglia, ripiegò apostrofandomi ironicamente «signora», perché chiamarmi come io chiamavo lui, cioè col cognome nudo e crudo manco fossi un uomo, doveva sembrargli davvero troppo legittimante.

Qualcuno, a questo punto del discorso, dice sempre: «Eh, ma io i politici li vedo chiamare per nome proprio, eccome». È vero, ma l'uso del nome proprio ha un altro effetto quando avviene all'altro apice dello squilibrio di potere. L'uomo al comando di uno scenario politico è un soggetto già legittimato e forte, talvolta troppo forte, al punto da necessitare di ammorbidimenti dell'immagine pubblica per non spaventare l'elettorato piú moderato. Farsi chiamare per nome diventa allora l'equivalente del mostrarsi in maniche di camicia mentre si inforca una bici, immagine scanzonata che potrebbe far dimenticare che tu sei il presidente del Consiglio piú prepotente della storia della Repubblica. È come apparire sulla copertina di un settimanale a petto nudo, vestito solo della tua cravatta e di un sorriso che rassicuri le signore sul fatto che sei innocuo anche se invochi la ruspa sui figli dei poveri negli accampamenti di periferia. Se un uomo potente, un capo di governo o di partito, viene chiamato per nome, il suo profilo assume una forma familiare che rassicura i timorosi e dissipa la voglia di conflitto. Chiamandoli Gigino, Matteo, Silvio o Giuseppi, gli uomini potenti diventano simpatici, camerateschi, amichevoli, buffi e in alcuni incomprensibili casi (pare) persino sexy.

Le donne che devono gestire un eccesso di percezione di forza in politica sono davvero poche. È capitato che Emma Bonino, col suo passato di forte militanza radicale, abbia talvolta fatto campagna elettorale usando solo il nome proprio, mentre Angela Merkel, la figura politica col potere piú longevo d'Europa, accetta e trae vantaggio dal fatto di farsi chiamare Mutti (mamma) dall'opinione pubblica tedesca. Questo processo di familiarizzazione ha senso solo quando sono le donne stesse a governarlo e infatti, quando ad Alexandria Ocasio-Cortez fecero notare che i suoi elettori la chiamavano abitualmente con l'acronimo AOC, lei replicò: «AOC è un nome che mi è stato dato dalla comunità e dalle persone. Tutti possono chiamarmi AOC. I colleghi del governo che si riferiscono l'un l'altro in un contesto professionale (cioè che non mi conoscono con quel nome) dovrebbero invece riferirsi alle loro pari come "deputata", "rappresentante" ecc. Sono le regole elementari del rispetto». Se sei tu a sceglierlo o a concordarlo, tutto è legittimo, ma diventa delegittimante e depotenziante se invece sono gli altri a importelo, specialmente quando l'intenzione è proprio quella di sminuirti.

C'è un florilegio di modalità alternative all'uso del nome proprio che riesce nel miracolo di cancellare persino quello, perché in un Paese come l'Italia si fa ricorso a ogni creatività pur di non usare il nome delle donne in pubblico. Quali sono le espressioni alternative a cui bisogna prestare particolare attenzione?

Le ragazze.

Un team di ricercatrici scopre un nuovo virus? Per il quotidiano nazionale sono «le ragazze del microscopio». In una riunione aziendale un uomo cede il turno a un gruppo di colleghe che deve approfondire il tema dopo di lui? «E ora la parola alle ragazze!» Le ragazze hanno diciotto anni anche quando ne hanno quaranta, perché la ragazzitudine è uno stato mentale (degli altri) in cui sei eternamente un'apprendista, una stagista, una simpatica mascotte che ha ancora tanto da imparare, a cominciare da come si fa un buon caffè con la cremina.

Alle ragazze non si fanno i contratti, non si danno gli aumenti, né si offrono gli avanzamenti di carriera, perché stanno imparando e hanno tutta la vita davanti per crescere. Nel frattempo i loro coetanei inspiegabilmente diventano capi progetto, team leader e amministratori delegati. Quando a cinquant'anni nessuno riuscirà piú a chiamarvi «ragazza» senza sembrare ridicolo, avrete probabilmente passato la vita a prendere ordini da un uomo meno qualificato di voi, che anche a parità di mansione guadagnava già il 12 per cento in piú.

Signorina o signora.

Se avete passato un quarto della vostra vita a studiare, laurearvi, prendere un dottorato, imparare una lingua in piú e fare un master di specializzazione, chiamarvi «signora» o «signorina» è un modo per ricordarvi che la vostra competenza viene comunque dopo il vostro status civile in rapporto a un uomo.

Non credete a chi dice che «signora» è un segno di rispetto: nessuno, in un contesto professionale, chiamerebbe «signore» un uomo che ha un titolo di studio. Solo da voi si pretende che, prima di avere un *perché*, dobbiate specificare se nella vita avete anche un *per chi*. Costringervi a definirvi come la signora di qualcuno o la signorina di nessuno apre la strada alla violazione del vostro privato, perché se accettate di essere lette pubblicamente secondo i vostri rapporti personali, la vostra intimità diventerà demanio pubblico. Esigete che a definirvi sia quello che fate e sapete, non chi frequentate.

Il sindaco donna.

Un modo pratico di farvi sparire da un ruolo pubblico è quello di rifiutarsi di declinarlo secondo il vostro genere, sottintendendo che siete l'eccezione femminile di una norma maschile. Il rigetto della declinazione femminile ha alibi fantasiosi che studiose piú preparate di me hanno ampiamente demolito[1].

Qui basta ribadire che il linguaggio è un'infrastrut-

[1] Vera Gheno, *Femminili singolari. Il femminismo è nelle parole*, effequ, Firenze 2019.

tura culturale che riproduce rapporti di potere. L'imposizione del cosiddetto maschile universale è un modo per dire che state occupando abusivamente il posto di un uomo, ma che questa anomalia durerà talmente poco che non vale nemmeno la pena di trovare una parola esatta che la definisca. Alcune di queste donne, convinte che «i problemi siano ben altri», hanno rinunciato alla pretesa di vedersi declinare la carica secondo il proprio genere, salvo poi verificare a loro spese che dietro il rifiuto di rispettare la grammatica si nascondeva (nemmeno troppo bene) il rifiuto di rispettare loro.

Regina, lady o dama di qualcosa.

Un'enologa ha rinnovato la cantina di prosecco piú importante d'Italia? State sicure che per i giornali sarà «La dama delle bollicine». Un'esperta di finanza ha un ruolo di potere negli affari della Santa Sede? Vi presentano «Lady Vaticano». Emerge agli onori della cronaca la direttrice del tale importante museo del contemporaneo? Vedo già il titolo: «Regina di quadri», con buona pace delle sue due lauree in storia dell'arte e gestione dei beni culturali. L'iperbole del titolo nobiliare fa sparire il nome e la competenza e alla fine dice di te una sola cosa: una donna che comanda è un evento eccezionale che appartiene al fiabesco mondo del fantasy. Ma non ci serve la corona: dottoressa è sufficiente, grazie.

Una donna.

È la dicitura piú maschilista in assoluto, ma paradossalmente anche la piú usata dai media. Una donna, questa entità collettiva uteromunita, questo Avenger senza volto né nome, fa tantissime cose anche molto diverse tra loro e non c'è alcun bisogno di specificarne l'identità: se il caso vuole che in quella posizione ci sia una donna, va benissimo che sia una donna a caso. Una donna vince l'oro. Una donna va alla Sapienza. Il Nobel per la chimica a una donna. Una donna è capo della polizia del Veneto. L'Oscar per la migliore regia a una donna. Che sia il momento di una donna al Quirinale?

I giornali italiani non riescono a dismettere lo stupore davanti al fatto che le persone di sesso femminile possano davvero fare bene qualunque cosa e forse è per questo che, per raccontarle, usano una dicitura che cancella qualunque legame con la realtà: identità, competenza, ruolo. A contare rimane solo il sesso, che poi è proprio la ragione per cui la discriminazione di genere si chiama sessismo.

Il rosa.

Potrebbe sembrare che privare la persona di sesso femminile del suo nome e dei suoi titoli per ridurla al suo essere donna sia il grado zero della spersonalizzazione, ma non è cosí. Il gradino successivo è la sostituzione cromatica con l'insopprimibile rosa. Lo Strega è rosa. La giunta regionale è rosa. Le quote sono rosa. I vertici dell'avvocatura sono in rosa. Il calcio delle donne è rosa, il consiglio di amministrazione non è abbastanza rosa, la finale di Sanremo è in rosa e persino in questo ufficio manca un tocco di rosa, che poi sarebbe come dire che manca una donna, perché il rosa è la donna, la donna è una rosa e se non vi sta bene è solo perché rosicate che quella donna non siete voi.

Mamma.

Questa variante è talmente usata, complessa e perniciosa da meritare un approfondimento a parte. Lo trovate nel capitolo successivo.

"Brava e pure mamma!"

IL VOSTRO È UN UN **VIZIO DI MERITO!**

Brava e pure mamma!

Nella mia infanzia ricordo un solo volto di donna impresso sulle banconote, quelle da mille lire: era Maria Montessori. Ma se sul retro dei soldi con la faccia di Alessandro Volta c'era il tempio voltiano di Como e dietro il Michelangelo delle centomila lire c'era una delle sue nature morte, dall'altro lato di Montessori c'era invece un bambino, a significare che lei era lí per aver portato ai massimi livelli professionali l'unica eccellenza che un sistema patriarcale può riconoscere alle donne: l'educazione infantile. Le lire non esistono piú, ma la proiezione sociale delle donne come creature ontologicamente materne non ha smesso di dominare la narrazione pubblica.

«Covid, tampone salivare: ecco le quattro mamme ricercatrici che lo hanno ideato». Nel novembre del 2020 la scoperta di una procedura semplificata per testare la presenza del coronavirus nei bambini occupò per diversi giorni i titoli dei giornali italiani. La notizia non era la scoperta in sé, utile ma non rivoluzionaria, quanto il fatto che a farla fossero state quattro donne che tutti i giornali qualificarono come «mamme». Erano ricercatrici, ovviamente. Dottoresse, potremmo aggiungere senza temere di esagerare. Scienziate, a volerla dire tutta. Dai racconti dei media la loro professionalità dominante però non sembrava quella medica, quanto quella materna. L'impressione era che avessero fatto la scoperta non in quanto scienziate, ma in quanto madri. A capo del loro team di ricerca c'era un uomo, ma di lui nessuno ha ritenuto di dover specificare se fosse padre o meno. Il messaggio implicito che passa da un simile registro lessicale è che la motivazione di uno scienziato sia la scienza, mentre quella di una scienziata sia l'istinto materno. Tutti i giorni nei laboratori di industrie, ospedali e università centinaia di ricercatrici fanno scoperte scientifiche che serviranno ai figli degli altri anche senza averne generati di propri, ma questo dato di realtà si scontra con uno dei peggiori pregiudizi sessisti: quello secondo il quale gli uomini sono esseri razionali e le donne sono esseri relazionali. L'assunto già ribadito da cui parte questa convinzione è che un maschio fa le cose per un *perché*, mentre una femmina solo se ha un *per chi*. Se non ce l'ha, bisogna temerla.

«Serena Williams e il potere dell'amore: mia figlia mi ha resa piú umana». All'apice di una carriera senza precedenti in qualsivoglia sesso, la sportiva piú potente del mondo venne intervistata da un giornale italiano nel 2018. La giornalista, che enfatizzò moltissimo le caratteristiche fisiche da supereroina della campionessa, le fece molte domande sulla carriera e sulla figlia neonata, per partorire la quale Williams aveva abbandonato temporaneamente il campo da tennis. A queste ultime questioni Williams rispose che l'amore del marito e della figlia l'avevano resa «una persona migliore», una frase che senz'altro molte di noi, almeno le piú fortunate, potrebbero facilmente condividere. Nel titolo del giornale a corona dell'intervista, quella banalità affettuosa diventò però qualcos'altro: la maternità della tennista – come le misero in bocca in un virgolettato che nel pezzo non compare mai – l'avrebbe resa «piú umana». Evidentemente, almeno per la giornalista, era indispensabile specificare che in quella donna potente c'era qualcosa di cosí disumano da dover essere mitigato dall'esperienza della maternità, che avrebbe aggiunto dolcezza alla forza dello schianto del suo servizio. «Oggi è piú bella. Meno leonessa della savana a caccia della preda, piú femmina», cosí si concludeva il pezzo, proponendo un'idea di maternità come antidoto alla ferocia che è un'illusione disneyana: nel mondo animale è proprio dopo il parto che le femmine diventano piú aggressive, piú di tutte proprio le leonesse evocate dalla chiosa. L'idea che l'esperienza del materno debba rendere piú umane le donne eccellenti ha come contraltare il fatto che le donne che scelgono di non essere madri sono invece raccontate o sottintese come creature disumane, mancanti della parte piú realizzata della loro essenza. La donna potente, se è madre, sembra far meno paura a chi il potere lo ha visto fino a quel momento solo in mano agli uomini, il cui essere padri o meno ovviamente non ha mai fatto alcuna differenza sul loro grado di ferocia.

L'ossessione della mammizzazione delle donne che arrivano all'apice è parossistica nei media italiani. Dallo sport alla politica, dal cinema all'economia, dalla scienza all'arte, ogni donna che si trovasse a raggiungere risultati tali da costituire notizia si sentirà chiedere se ha un marito e dei figli o se li ha dovuti «sacrificare» sull'altare della sua eccellenza. La domanda sulla conciliazione tra lavoro e famiglia è un must di ogni intervista alla donna di successo, mentre nessuno si sogna di rivolgerla a un uomo al culmine della carriera. Ma se anche glielo si chiedesse, un uomo potrebbe tranquillamente rispondere che vive per il suo lavoro, perché uno che mette il lavoro prima di tutto il resto è l'indefesso leader che ogni azienda vorrebbe sulla sedia da amministratore delegato, mentre una donna che facesse lo stesso sarebbe giudicata insensibile e spietata; brava sí, ma amputata della sua piú profonda vocazione per trasformarsi nella vecchioniana virago in carriera «stronza come un uomo, sola come un uomo».

In questo discorso c'è un'implicita nota di colpevolizzazione sociale agita contro le donne che, per qualche ragione, hanno scelto di lavorare e non avere figli. Il dato viene evidenziato come un'anomalia, perché, anche se i risultati personali vengono raccontati come azioni vincenti, l'assenza di prole resta qualcosa da dover motivare. Uno dei casi mediatici piú emblematici è quello dell'astronauta Samantha Cristoforetti. Quando andò in orbita per la prima volta non era madre e i giornali, che ritennero necessario sottolinearlo, per «umanizzarla» la definirono subito AstroSamantha, con il nickname che tutti gli astronauti italiani usano su Twitter, composto dal prefisso «astro» seguito dal loro nome proprio. Nel 2017, quando Cristoforetti diede alla luce una figlia, i giornali la ribattezzarono però prontamente Astromamma. Inutile dire che il collega Luca Parmitano, che pure ha due figlie, non è mai finito in un titolo di giornale col nome di Astropapà e nemmeno come Astroluca, che pure è il suo nickname su Twitter. Essersi riprodotti, per gli uomini, non ha niente a che fare con la dimensione pubblica della loro professione, mentre per le donne resta ancora la contropartita che può giustificarla.

Ribadire che alle donne serva una motivazione sentimentale per arrivare a risultati razionali ha nella vita di tutti i giorni delle pesanti conseguenze. Soprattutto si traduce nella tendenza a privilegiare gli uomini nei ruoli di comando, perché la capacità di prendere decisioni è pregiudizialmente associata al sangue freddo, al raziocinio, alla competitività e qualche volta, se non proprio alla stronzaggine, di certo alla spietatezza. Le donne, ritenute troppo emotive e inclini all'indulgenza, piú difficilmente vengono stimate adatte ai compiti di leadership. Dietro questa idea non c'è solo un concetto sbagliato del femminile, ma anche della leadership, espressa come carisma muscolare, capacità di controllo dominante e come un'attitudine essenzialmente bellicosa. In questo quadro, le cosiddette *soft skills* – le competenze morbide, cioè la capacità di fare rete con gli altri, motivare ed esortare, dirimere conflitti ed empatizzare – sono ascritte alla categoria del servizio, non del comando, e guarda caso sono proprio le caratteristiche che in un sistema patriarcale si definiscono piú facilmente come femminili. È la ragione per cui quasi sempre, dietro ogni organizzazione a guida maschile, ci sono team composti prevalentemente da donne e molte di loro, confondendo il servizio con il comando, spesso si compiacciono della possibilità di essere incluse in queste cabine di controllo secondarie che non arriveranno mai a guidare.

Evidenziare che in un ruolo di potere è arrivata una mamma ha un valore particolare in queste dinamiche, perché rassicura tutti del fatto che si tratta di una donna che mantiene la prevalente attitudine alla cura e che la estenderà a tutto il suo agire, anche quello nei luoghi di lavoro. In questo quadro ha perfettamente senso dire che una donna consegue un risultato scientifico perché è una madre, ma – a parte dirci che è un'ottima madre – in fondo ribadisce anche che abbiamo davanti una pessima scienziata, poco affidabile proprio perché le sue scoperte dipendono da motivazioni personali irrazionali. Quindi non è un caso che a capo del team di quelle quattro ricercatrici ci fosse un uomo: inquadrare una ricercatrice come *mamma* nell'ambito scientifico è l'equivalente del definire una politica come *pasionaria*, efficace quando si tratta di agire di pancia, pericolosa quando tocca metterla alla testa di un'organizzazione.

Può capitare che le persone intorno a te pretendano che tu ti comporti con attitudine materna anche se non hai avuto o voluto dei figli. Cosa implica la presunzione dell'istinto materno nella vita quotidiana di una donna che ha responsabilità professionali? Lo scoprii nel 2016, quando trascorsi un lungo periodo di studio a Heidelberg con l'incarico di confrontarmi con alcuni scienziati sul tema del rapporto tra ricerca ed etica. Lavorai con il fisico quantistico alla direzione del Physikalisches Institut, con il biologo a capo del Center of Organismal Studies e con l'astrofisico che guidava la Haus der Astronomie, ma nessuno disse le cose che mi rivelò invece la dottoressa Hannah Monyer del Deutsches Krebsforschungszentrum. In una conversazione specifica[2] sulla gestione della catena di comando, la scienziata, premio Leibniz per i suoi studi sul cervello, mi disse che rilevava una netta differenza di atteggiamento in colleghi e sottoposti nei suoi confronti rispetto ai capi e ai colleghi di altri dipartimenti. Da una donna al comando – mi disse – ci si aspetta inconsciamente che abbia una maggiore attitudine relazionale e una superiore capacità di empatia verso le debolezze altrui. Cosí accade che le sottoposte donne credano di poter contare sulla solidarietà di genere se espongono problemi familiari per giu-

[2] Cfr. AAVV, *Wissenschaft – die neue Religion? Literarische Erkundungen*, Mattes Verlag Heidelberg, Heidelberg 2016.

stificare le loro inadempienze, ma anche che gli uomini si aspettino di essere considerati nelle loro mancanze con maggiore indulgenza di quanta non ne godrebbero se le avessero commesse sotto la guida di un uomo. La scienziata leader che rifiuta di assumere questo ruolo accudente e indulgente paga il pegno di una fama di durezza che per gli uomini sarebbe tradotta virtuosamente in «determinazione», e le viene attribuita una spietatezza che in un collega sarebbe invece ammirata come «rigore professionale». La dottoressa Monyer era perfettamente consapevole di una cosa: il fatto che da una donna ci si aspetti una qualche forma di *maternage* nell'esercizio del potere di gestione di un gruppo di lavoro comporta una dispersione di energia personale che va proprio a discapito della ricerca. Da una donna nessuno si attende che faccia il capo, ma se proprio deve esserlo, allora che sia un capo-mamma dolce e comprensiva, pena la riduzione a stronza senza cuore.

La raccolta di frasi o parole che evocano la specificità del materno o comunque della relazione in riferimento alle donne è forse una delle piú vaste del calderone del linguaggio sessista. Qui ne riporto solo tre, particolarmente attuali.

Al femminile.

Vittoria al femminile. Cinquina all'insegna del femminile. Risultato al femminile. Un team tutto al femminile. Trionfa la femminilità. La variante della mammitudine è lo spettro del femminile, inteso come la summa di tutte quelle caratteristiche di dolcezza, ancillarità e decoratività che dovrebbero distinguere l'agire delle donne da quello degli uomini. Il femminile non esiste, è solo un costrutto sociale che raduna le aspettative di genere che una comunità applica alla vita delle donne. Poiché per tutti è ovvio che i risultati di un uomo sono frutto della sua intelligenza e applicazione e non della sua presunta essenza maschile, specificare che una donna agisce invece in virtú della sua femminilità è un modo per sminuire le sue capacità e ricondurle alla funzione cosiddetta primaria di madre, moglie, amante. La radice del femminile, insomma.

Figlia. Sorella. Nipote. Zia. Nonna.

Sofia Corradi, ideatrice del programma di scambio studentesco internazionale dell'Erasmus, viene comunemente definita «mamma Erasmus». Katalin Karikó, scienziata che per prima ha messo a punto i percorsi anticovid basati sulla molecola dell'Rna, è finita sui giornali come «madre del vaccino». Ogni fondatrice, inventrice o scopritrice di qualcosa di rivoluzionario ne diventa immediatamente «la madre», perché le buone idee maschili escono dalla testa, quelle femminili dall'utero. L'uso decontestualizzato del lessico parentale è una delle forme piú sottili, e quindi piú perniciose, del sessismo linguistico e si estende a tutti i legami parentali femminili. Si può essere la zia del giallo inglese, le figlie del Sol Levante, le sorelline della moda, la nonna del vino italiano o anche le nipotine del femminismo. Nei ruoli sociali di rilievo i termini relazionali vengono quasi sempre preferiti a quelli funzionali quando a interpretarli sono le donne.

Laddove un uomo sarà descritto, oltre che come padre, anche come un maestro, un fondatore, un interprete, un epigono, uno che raccoglie il testimone o un demiurgo, la donna – se non è proprio una madre – sarà quasi sempre una zia, una nonna, una figlia, una sorella o una nipote.

Cucinare. Cucire. Impastare.

Questi e altri verbi mutuati dall'esperienza storica delle donne nella gestione della casa vengono spesso applicati nel discorso pubblico ad azioni che nulla hanno a che fare col cibo o il rammendo, ma che vi vengono ricondotte solo perché a compierle è una donna. Per questo pregiudizio il lavoro di editing del codice genetico umano per il quale le scienziate Emmanuelle Charpentier e Jennifer Doudna hanno ricevuto il premio Nobel per la chimica 2020 è stato definito dai giornali italiani come il «taglia e cuci del Dna». Qualunque atto pubblico ben riuscito risulta in questo modo una proiezione in scala maggiore dell'unico lavoro che si pensa corrisponda all'essenza del femminile: la casalinga.

“Spaventi gli uomini”

CON QUELLA **COSA** LÍ!

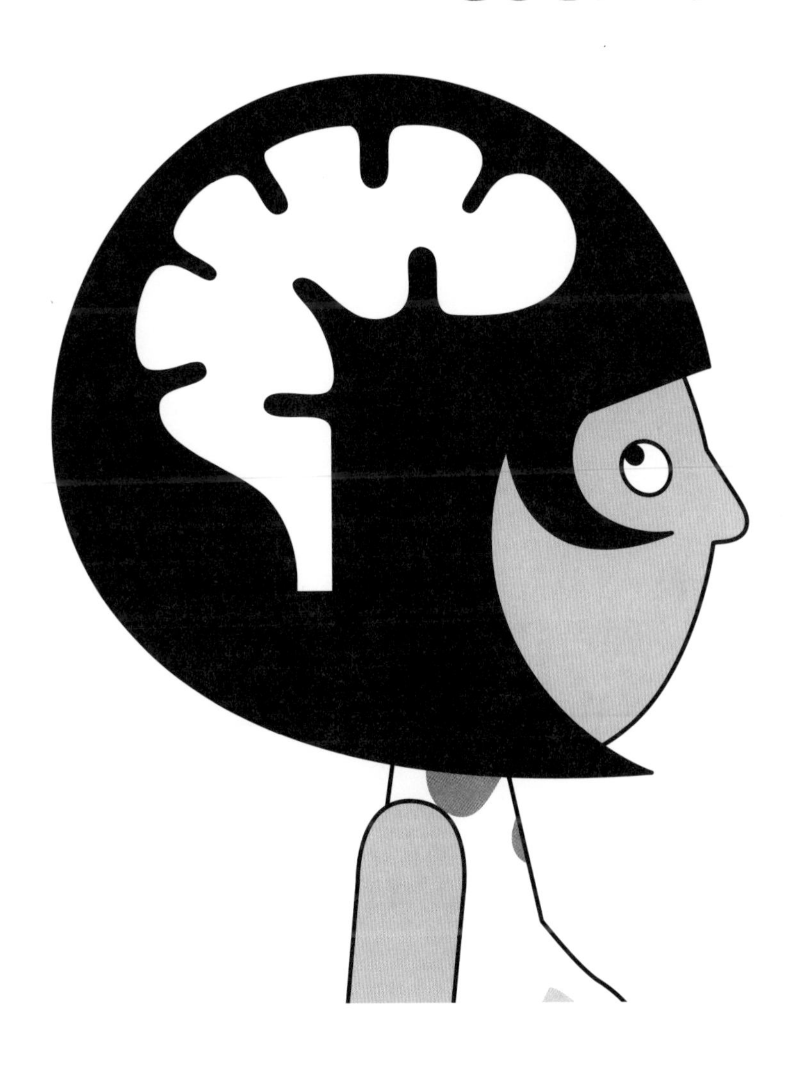

Spaventi gli uomini

Nel 2013 mi candidai alla presidenza della Regione Sardegna. Eravamo un piccolo soggetto politico con pochi soldi e vocazione indipendentista, ma al nostro interno c'erano molte competenze qualificate, tra le quali anche quelle in comunicazione. Volevamo fare le cose seriamente. Il capo della comunicazione, Luigi Cocco, era uno con le idee chiarissime che si era laureato in Inghilterra in marketing politico: venne a casa mia, aprí l'armadio e cominciò a separare i vestiti che potevo mettere in campagna elettorale da quelli che non avrei dovuto indossare piú. Niente rosso, perché «è il colore dell'agitazione e invece noi ci candidiamo con un progetto di governo». Niente vestiti che enfatizzino il seno, perché «se gli uomini lo desiderano e le donne lo invidiano, nessuno dei due ti vota». L'ideale era un tailleur, perché «tutte le donne che hanno vinto un'elezione in Occidente lo hanno fatto con addosso una giacca da uomo». Thatcher. Clinton. Merkel. Non aveva torto. «Puoi sceglierlo in qualunque colore, purché pastello», perché «hai un profilo pubblico aggressivo e dobbiamo rassicurare». Se fosse uscita anche solo una volta la parola *pasionaria* in un titolo di giornale – aggiunse categorico – avremmo dimezzato le percentuali di consenso nei sondaggi, perché tutti amano l'idea che le Rosa Luxemburg agitino le piazze, ma poi nessuno vorrebbe davvero una barricadera al governo.

Non ero convinta di questa lettura e infatti non misi mai un tailleur, né rinunciai al mio colore preferito. Non credo sia per questo che abbiamo perso alle urne, ma sapevo dentro di me che Luigi aveva ragione: quello che a un uomo fa vincere le elezioni, a una donna, con ogni probabilità, le farà perdere. La forza, la determinazione e la capacità di sostenere un conflitto aperto sono pregi in un candidato maschile, mentre sono percepite come allarmanti, irritanti e in definitiva insopportabili se è una donna a rappresentarle. Dalle donne ci si aspetta la gentilezza e la capacità di mediazione, la grazia e la dolcezza, la decisione forse, ma non troppo evidente, altrimenti è un attimo che diventi una maestrina, una capetta, una stronza.

La scrittrice Chimamanda Ngozi Adichie, in un video diventato virale, spiegò molto bene questo doppio binario ermeneutico: «Nel nostro mondo un uomo è sicuro di sé, una donna è arrogante. Un uomo è senza compromessi, una donna è una rompicoglioni. Un uomo è assertivo, una donna aggressiva. Un uomo è stratega, una donna manipolatrice. Un uomo è un leader, una donna ha manie di controllo. Un uomo è autorevole, una donna è prepotente. Le caratteristiche e i comportamenti sono gli stessi, l'unica cosa che cambia è il sesso ed è in base al sesso che il mondo ci giudica e tratta diversamente. Ogni volta che parlo di femminismo c'è qualcuno che invariabilmente mi applica l'etichetta di "rabbiosa", come se a una donna non fosse permesso provare rabbia senza che la rabbia diventi il suo stesso modo di essere. La rabbia è un'emozione umana e ci sono molte cose per cui mi sento arrabbiata [...] ma i miei sentimenti di rabbia non implicano che io sia una persona rabbiosa. Un uomo che ha giusti motivi di rabbia non viene ridotto alla condizione di persona rabbiosa».

Nello scenario italiano la lettura binaria esposta da Adichie non cambia, se non per peggiorare. Tutte le donne che hanno un'esposizione pubblica e prendono posizione su temi divisivi si sentono regolarmente apostrofare come incarognite, acide, insoddisfatte e arrabbiate. Se fanno affermazioni corrette nel merito vengono comunque attaccate nel metodo e sui social media anche i commenti favorevoli cominciano spesso con la frase: «Premetto che a me non è simpatica». Essere simpatiche e gradevoli è una premessa sostanziale per le donne che hanno qualcosa da dire: non basta che tu abbia un'opinione su una cosa controversa, devi anche fartela perdonare con modi adeguati e piacevoli. Se non chiedi scusa per avere espresso un disaccordo, quel disaccordo diventa un torto anche quando hai ragione (direi soprattutto quando hai ragione).

Cosí un uomo che dissente è una voce coraggiosa che non le manda a dire, mentre una donna che dissente è una rompipalle che ha sempre da ridire su tutto. Lo spettro dell'impopolarità ammutolisce preventivamente la voce pubblica delle donne. Come tutti i sistemi di potere coercitivi, il patriarcato non tollera il dissenso e ha metodi violenti per combatterlo. Se scegliete di militare nel femminismo ed evidenziare cose come l'ingiustizia salariale, i dati della violenza di genere, l'ipertrofia maschile nei ruoli di comando e i vizi e le conseguenze del linguaggio sessista, occorre che mettiate in preventivo il fatto che il sistema patriarcale reagirà indicandovi come un problema. Questo però vale anche se vi occupate di migranti, di affollamenti sulle piste da sci in tempi di

Covid, di politica in qualunque accezione e in generale di tutti quei temi pubblici che in quanto tali sono considerati di pertinenza maschile. Qualunque posizione prendiate, sarete additate come stronze, streghe, insoddisfatte sessualmente, col ciclo in atto e/o il climaterio in arrivo, antipatiche, senza senso dello humour, sempre a lamentarvi, misandriche e frustrate. Se lo fate on line, le cosiddette *shit-storms*, le tempeste di insulti, saranno un evento di frequenza e portata direttamente proporzionale alla vostra visibilità ed efficacia.

Si può avere una vita piú facile, naturalmente. La brava bambina che dice sorridendo il suo addomesticato *sí* avrà sempre un posto d'onore nel sistema patriarcale. Rinunciare a quel posto d'onore dicendo *questo non mi va bene* è un passaggio faticoso, ma piú di una, in passato, lo ha fatto per noi ed è per questo che oggi possiamo divorziare, scegliere se diventare madri o no, fare le magistrate, non essere costrette a sposare l'uomo che ci ha stuprate e avere altri non piccoli diritti. Nessuna delle nostre bisnonne, nonne e madri ha domandato queste cose gentilmente, preoccupandosi di non spaventare. Sapevano, come dobbiamo sapere noi, che il patriarcato è un sistema muscolare e rispetta solo ciò che teme. Per questo, per raggiungere quelli che oggi chiamiamo traguardi, migliaia di donne hanno pagato col disprezzo della loro famiglia, hanno perso il rispetto borghese delle loro comunità, la possibilità di vivere vite tranquille e, in alcuni casi, perfino la vita. Dobbiamo essere loro grate e il modo migliore per farlo è non dimenticare che quei diritti esistono solo finché restiamo pronte a tirare fuori le unghie per difenderli. Se ci dispiace dispiacere, l'ancella in cui vorrebbero trasformarci ha già vinto, perché l'unico potere che il patriarcato riconosce come legittimo è quello che ti concede, mai quello che ti prendi da sola.

Ho scelto alcune varianti della frase «Spaventi gli uomini». Ve le sarete di certo sentite dire tutte almeno una volta, ma vederle di fila e sapere cosa sottintendono fa un effetto diverso.

Calmati.

La donna che dissente nelle società sessiste ha per definizione qualcosa di scomposto. Quando ti hanno cresciuta facendoti credere che essere femminile volesse dire essere gentile, carina, sorridere anche se non ti va, non negare attenzione né plauso, accondiscendere sempre e mostrarsi obbediente e diligente, vederti smettere di farlo è percepito immediatamente come un atto disordinato, un tradimento della posizione assegnata al tuo genere. Se ti esprimi in forte opposizione non sei una persona equilibrata, ma un'isterica, un'emotiva, un'irrazionale che non sa dominare le proprie passioni, né gli ormoni turbinanti del ciclo. Oppure, variante sempreverde, non assumi da tempo quella panacea per ogni malumore femmineo che, secondo il sessista medio, dovrebbe essere il pene. Se una donna esprime un dissenso di qualunque tipo e in qualunque forma, e qualcuno la invita a calmarsi, il senso è preciso: se fossi una persona serena, *ovviamente* mi daresti ragione.

Hai ragione, ma sbagli i toni.

Questa frase è uno dei piú efficaci diversivi che possano essere messi in atto durante una discussione in cui qualcuno sta esprimendo dissenso. La pratica si chiama *tone policing* («farti la lezioncina sui toni») e serve a spostare l'attenzione dalla sostanza alla forma, togliendo forza alla materia del contrasto. La si vede usare in ogni frangente di dissenso e funziona cosí: prendi un moto di protesta che ha ottime ragioni – per esempio il movimento Black Lives Matter – e dici: «Hanno ragione, però spaccare le vetrine non va bene». È successo qualcosa di analogo per anni alla comunità LGBTQI+ con il Pride; da quante persone avete sentito dire: «Giusto, però che baracconata, è proprio necessario rivendicare cosí»?

Essendo una forma di paternalismo, il *tone policing* è usatissimo contro le donne che si pongono in una posizione di contrasto verso un uomo. Il sottotesto è evidente: «Protesta gentilmente e silenziosamente, cosí posso continuare a ignorarti».

Devi ribattere proprio a tutto?

Pronunciata con tono stanco e rassegnato, giunge cosí la via di mezzo, la richiesta di passare da attaccante a mediana, una che non sempre va a cercare il goal, ma ogni tanto cede semplicemente la palla e fa giocare gli altri, nello specifico i maschi. A differenza delle frasi precedenti, questa frase non attacca il *cosa* e nemmeno il *come*, ma il *quanto*. Non è che le tue battaglie non siano giuste, ma è proprio necessario che le debba combattere proprio tutte e proprio tu? Allenta il fronte, non essere spietata, lascia al prossimo quel po' di respiro che è proprio dei grandi negoziatori. Rallenta il ritmo, giusto il tempo che serve al patriarcato per riorganizzarsi. Cosí vivi meglio anche tu, no?

Cosí resterai sola.

Lo spettro della zitellaggine salta fuori dall'armadio ogni volta che una donna si pone in modo conflittuale rispetto a quelle che sente come ingiustizie. Pare che se la brava bambina smette di star zitta e compiacente e sceglie di «fare la stronza», facendo notare continuamente cosa c'è da aggiustare nel meccanismo sociale, accada l'orrore degli orrori: queste creature spaventabili che sono gli uomini si terrorizzeranno di lei al punto che nessuno la vorrà mai. Nella concezione patriarcale, la peggiore sventura che possa capitare a una donna è restare senza un uomo, divenendo una creatura egoista dal cuore arido, che camperà triste e morirà sola senza aver mai sperimentato la pienezza della vera femminilità.

È una leggenda e bisogna gridarlo forte. Gli unici uomini che si spaventano se una donna protesta contro un'ingiustizia sono quelli che hanno la responsabilità deliberata o tacita di quell'ingiustizia. Gli altri non solo non hanno alcun problema con le donne che protestano, ma sempre piú spesso si attrezzano per aiutarle.

“Le donne sono le peggiori nemiche delle altre donne”

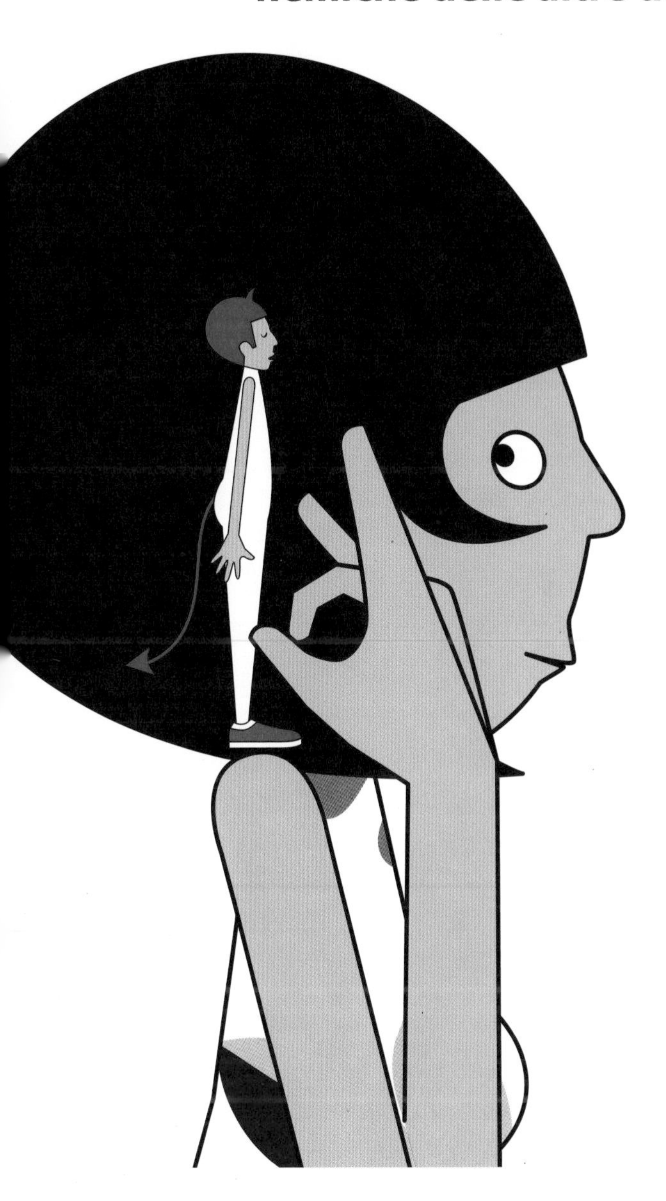

Le donne sono le peggiori nemiche delle altre donne

Nell'ormai celeberrimo romanzo di Margaret Atwood *Il racconto dell'ancella*, ingenuamente scambiato per una distopia, il sistema oppressivo dello stato di Gilead si serve del lavoro di alcune donne per tenere in schiavitú tutte le altre. È interessante però notare chi e quante siano queste donne. Nella gerarchia teocratica di Gilead le categorie femminili sono tre: le mogli, le zie e le ancelle. Le consorti sono apparentemente sullo scalino piú alto della gerarchia, perché condividono lo stile di vita degli uomini che hanno sposato. Non figliano, ma diventano madri dei figli partoriti dalle donne ancelle, una compagine di schiave fertili che vive per svolgere la sola funzione riproduttiva. Le zie, figure intermedie tra i due apici di questa apparente scala di potere, sono vestali carceriere preposte a controllare che le ancelle adempiano al loro ruolo senza distrazioni né ribellioni.

Atwood, che quando scrive non fa mai niente a caso, nel romanzo dice chiaramente che per tenere sottomessa una donna ce ne vogliono altre due: una sola non basta. Se il patriarcato vuole dominare il sesso femminile senza ricorrere continuamente alla forza ha bisogno di convincere delle sue ragioni almeno due terzi delle donne e lo fa offrendo a ognuna il vantaggio che all'altra è negato. Tutte le volte che il femminismo ha raggiunto dei traguardi nei diversi contesti sessisti in cui si è organizzato, lo ha fatto rompendo il rapporto di due contro una. L'interlocutore primario della lotta femminista non è dunque mai un uomo, ma un'altra donna. A questa donna va mostrato che il vantaggio che crede di ottenere restando nel posto progettato per lei non è minimamente paragonabile al valore della libertà di cui godrebbe spostandosene. Questa donna va messa nelle condizioni di comprendere che il prezzo che le è stato chiesto di pagare per il suo status è ampiamente superiore al privilegio che pensa le derivi dal ricoprirlo.

Il patriarcato esercita la forza a tutti i suoi livelli, ma solo in quello piú basso la forza prende la forma della violenza. Negli altri stadi si manifesta come lusinga, paternalismo, narrazione falsata, finta offerta di protezione, riconoscimento di qualche valore personale (mai di tutto, però) e soprattutto con l'illusione di poter comunque ottenere di piú da sole che in alleanza con altre donne. Per questo è essenziale, nei sistemi maschilisti, che le donne credano che le loro peggiori nemiche siano proprio le altre donne, diventando inconsapevolmente complici del sistema che alla fine le opprime tutte. Le tecniche con cui questa manipolazione viene operata sono molte e si sono evolute nel tempo, perché il patriarcato è un pensiero multisistemico, ha grandi capacità di adattamento al cambiamento e spesso si serve delle stesse armi linguistiche del femminismo per cercare di frantumare la minaccia costituita dalle donne consapevoli organizzate in rete.

La prima tattica sempreverde è quella dell'Eletta. L'uomo che ragiona in modo patriarcale sceglie una donna, una sola e con le caratteristiche meno problematiche possibili in rapporto al sessismo, e la mette in alto, piú in alto che si può, quindi non proprio all'apice della piramide, ma magari direttamente sotto. La fa vicedirettrice di qualcosa. La indica come il suo braccio destro. Fa che tutti gli altri la guardino come l'alter ego di chi comanda. Le offre tutto il potere che si può dare a chi agisce facendo le funzioni del primo uomo in carica. Una volta compiuta questa proiezione, non gli serve fare altro. Questo ologramma di donna che lui ha creato blinderà ogni critica, parerà ogni attacco e sarà lí a dimostrare la sua inclusività per il solo fatto di esistere in quel ruolo di comando. Non userà mai quel ruolo per mettere in discussione di essere l'unica, anzi proteggerà con tutte le forze la sua specialità, difendendola dall'ipotesi che altre donne possano contendergliela. Si crogiolerà al pensiero di essere stata, lei sola tra le tante, all'altezza di assurgere al posto che molti uomini avrebbero voluto.

L'Eletta è il miglior cane da guardia del patriarcato e si può senz'altro dire che individualmente farà carriera, ma il potere che esercita è un'illusione: non è suo, in qualunque momento può esserle tolto, e le è stato prestato perché lo protegga, non perché lo usi. È in forza del meccanismo dell'Eletta se sui giornali conservatori gli articoli di critica al pensiero femminista porteranno piú facilmente la firma di una donna che non quella di un uomo, e se nelle strutture gerarchiche piú conservatrici sarà frequente trovare donne nei ruoli apicali, senza che questo modifichi di un'oncia l'orientamento delle scelte. È l'unico caso in cui abbia senso dire che dietro una grande donna c'è un grande uomo, ma invertendo l'ordine dei fattori il senso purtroppo non cambia: che stia davanti o dietro, il ruolo ricoperto da una donna eletta dal patriarcato resta ancillare.

Meno elementare, ma ugualmente efficace in ambito lavorativo, è l'apparente cessione di potere che passa per la retorica dell'azienda come grande famiglia. In una cornice simbolica in cui le donne sono percepite come creature piú relazionali che razionali, un buon modo per ottenere prestazioni indebite, docilità nei conflitti e consenso al *gender pay gap* è far percepire loro le funzioni professionali come se fossero relazioni familiari o comunque personali.

È un procedimento a costo zero: il maschilista al potere deve solo convincere la donna in questione che lei nell'azienda ha la responsabilità di una grande famiglia. Per questo gli basta prenderla e offrirle una mansione elevata, ma in quel ruolo deve sottopagarla, trattandola come la sorella complice che sognava, la figlia che ha sempre desiderato avere per erede o la sposa che avrebbe scelto se non fosse stato già sposato quando l'ha assunta. In questa dinamica lui è James Bond, lei Miss Moneypenny: nonostante l'evidenza della sottovalutazione, quella donna si convince di non appartenere alla fredda gerarchia dell'organigramma, ma a un altro ordine di importanza, quello segreto degli affetti.

L'inganno consiste nel farle credere che la differenza di stipendio con i colleghi sia ampiamente compensata dal fatto che loro sono utili, ma lei è indispensabile; che il lavoro degli altri sia solo lavoro ed essi siano intercambiabili, mentre invece la sua funzione sia speciale e unica, tanto che nessuno potrebbe prendere il suo posto, perché lei è il collante che tiene insieme tutto il resto. È lei ad avere la responsabilità emotiva di generare coesione in quella grande famiglia che è l'azienda, l'associazione, la fondazione, il gruppo di studio, di lavoro o di charity in cui opera. Questa funzione mediatrice, nobile e sacrificale, ha un valore cosí alto da non poter essere ridotto a un aumento in busta paga e in effetti non accade mai. In questo abuso camuffato da prestigio, la donna può accettare anche per anni di sottostare agli standard maschili in cambio del riconoscimento del suo ruolo emotivo.

Un'altra forma di cessione apparente del potere è quella molto piú evoluta che chiamerei «modello Charlie's Angels». Il maschilista piú scaltro si accorge che nel suo ambito ci sono donne che stanno facendo squadra e che questa squadra funziona bene per gli scopi che egli si pone. La scelta piú intelligente, in quel caso, non è dividerle, ma intestarsi la loro coesione. Farne il proprio harem simbolico. Trattarle come le sue ragazze, le *cheerleaders*, le donne di fiducia che lavorano felici insieme per lui, convinte di lavorare con lui. Ogni volta che vedete un gruppo di donne collaborare ottenendo dei risultati d'eccellenza, prima di farvi commuovere il cuore sospirando sulla leadership multipla femminile chiedetevi chi è a dare loro gli ordini. Chi è il direttore dell'evento. Chi è la firma a valle delle loro ricerche. Chi è il capo progetto. Chi è il responsabile della produzione. Chi è che salirebbe sul palco a ritirare l'eventuale premio dei loro risultati. A quale carriera sarà piú utile il valore aggiunto di quel lavoro di squadra. Fatevela, questa domanda. Molto spesso scoprirete che la risposta è Charlie, non le Angels.

Le frasi che evocano l'impossibilità di una vera alleanza tra donne sono innumerevoli, ma alcune ricorrono con piú frequenza e sono le piú astute. Le ripropongo qui, perché le sentirete purtroppo ancora per molti anni.

Guarda come si menano!

Il patriarcato, appena ne ha l'occasione, enfatizza in modo esasperato la conflittualità interfemminile. Due uomini che discutono stanno avendo un confronto, due donne invece si stanno accapigliando. Due uomini che si confrontano sono gladiatori, due donne che divergono in pubblico sono gatte che si azzuffano, detto anche *cat fighting*. Dove i maschi danno prova di carattere, due donne fanno lotta nel fango. Una donna che va in conflitto con un uomo è sgradita, ma se discute con una donna risulta invece molto utile alla leggenda nera delle donne che odiano le donne.

Due femmine non devono dunque avere contrasti? Certo che sí, ma bisogna essere consapevoli che qualcuno poi li userà per nutrire la leggenda delle donne che si detestano.

Alla faccia della solidarietà femminile.

Il patriarcato adora prendersi gioco delle parole d'ordine del femminismo, appropriandosene e stravolgendole per riportarle nel discorso pubblico in forma di farsa e smentita. La solidarietà femminile è una delle piú utilizzate in questo gioco al rivoltamento del calzino. Essere solidali in quanto donne non significa che come donna non mi metterò a contraddirne un'altra, e se serve lo farò anche in modo vivace. Solidarietà femminile è difendere dagli attacchi sessisti anche una donna con cui non sono d'accordo su nulla. Dagli attacchi sessisti, però, non da qualunque attacco. Fare *body shaming* su Daniela Santanchè o Giorgia Meloni sarà condannabile tanto quanto farlo su Elly Schlein o Laura Boldrini, ma per tutto il resto si rimane libere di criticarle senza ledere in alcun modo la propria coerenza femminista.

Lei sí che è una donna vera.

Per nutrire la favola delle donne nemiche tra di loro il patriarcato ama molto la tattica di sceglierne una e additarla a tutte come modello esemplare, lodandola al solo scopo di poter meglio marginalizzare tutte quelle che non si conformano. Queste figure femminili vengono definite «donne vere» o addirittura «femministe vere», contrapposte alle donne e alle femministe che invece sarebbero false, giacché chi compie questa operazione si arroga spesso anche il diritto di certificazione.

Non stupisca che ci siano donne che si prestano a essere usate dal sistema maschilista come corpi contundenti contro tutte le altre. Il patriarcato distribuisce sempre un piccolo potere alle donne che non lo disturbano, e anche se poi lo fa pagare caro, a qualcuna evidentemente basta.

"Io non sono maschilista"

IN CASA DO SEMPRE **UNA MANO**

Io non sono maschilista

Nell'autunno del 2018 il mio account fu sospeso dalla piattaforma di Facebook per quindici giorni, perché avevo scritto un post che era stato segnalato e riconosciuto come *hate speech*. Il presunto «discorso d'odio» che avevo fatto era una riflessione sui meccanismi del maschilismo in occasione della giornata contro la violenza sulle donne e ovviamente non conteneva alcun incitamento a odiare chicchessia. Era invece l'invito rivolto agli uomini ad assumersi non la colpa, ma la responsabilità di vivere in un sistema in cui i maschi – tutti i maschi, senza distinzione di intenzione – nascevano e nascono con un bagaglio di privilegio che possono anche far finta di non vedere per un po', ma non per sempre.

Il bisogno di fare un discorso simile nasceva dal fatto che ancora troppi uomini, benché portatori di intenzioni solidali nei confronti del sesso femminile, quando si espongono i dati e si ragiona di pratiche di prevenzione della violenza, finiscono regolarmente per dire: «Però basta con questa colpevolizzazione del maschile in sé, non siamo tutti maschilisti, io per esempio non lo sono, non ho mai picchiato una donna, non voglio scusarmi per le colpe di un intero genere. Ciascuno risponda di sé». È un po' piú complicato di cosí e mi azzardo ad argomentarlo con un esempio che può sembrare forte, ma che è talmente calzante che non sono nemmeno la prima ad averlo pensato e scritto[3].

Nascere in un sistema patriarcale e maschilista è un po' come essere figli di un boss mafioso. Non sai nemmeno cosa sia la mafia, ma da quel momento tutto quello che mangerai, berrai, vestirai verrà dall'attività mafiosa. È colpa tua se sei nato in casa di un mafioso? Ovviamente no. Non sei tu il capomafia, non hai fondato tu la cosca, non hai murato bambini nei piloni, non hai ucciso giudici con l'esplosivo, non spacci droga e non chiedi il pizzo a nessuno. Però vivi lí, hai occhi e orecchie e da un certo punto in poi non potrai piú dire: «Non sapevo con chi stessi vivendo». Hai indossato gli abiti che nessuno dei tuoi amici poteva permettersi, hai studiato in scuole esclusive, quando sei stato male ti ha accolto la sanità che nessun sistema statale può offrire, non hai mai preso un pugno da un compagno né una nota sul registro quando il pugno lo hai dato tu e la gente per strada ti saluta con un rispetto che nessuna delle tue azioni giustificherebbe.

Fino a quando potrai fare finta che tutto questo avvenga per ragioni diverse dal fatto che sei nato nella casa di un boss? Verrà un momento in cui avrai davanti tre scelte possibili e due sono molto chiare: tradire il boss o diventare il boss. Ce n'è però una terza, piú sfumata e furba: restare «figli del boss» senza assumersi responsabilità operative, godendo lo stile di vita che deriva dall'attività criminale senza però commettere mai direttamente un crimine. Altri uccideranno, altri spacceranno e faranno prostituire, altri si comprometteranno, altri testimonieranno il falso. Tu continuerai a dire: «Cosa

[3] Giulia Blasi, *Manuale per ragazze rivoluzionarie. Perché il femminismo ci rende felici*, Rizzoli, Milano 2017.

c'entro io? Perché guardi me? Non ho mai ammazzato nessuno, mai nemmeno tirato di coca, figurati venderla!» Per tutta la vita si può mangiare miele senza dover essere l'ape e arrogarsi il diritto di essere considerati responsabili solo delle proprie azioni. È innocenza? No, perché il sistema mafioso si regge da sempre sull'apparentemente pacifica passività di migliaia di persone che di mestiere non fanno i mafiosi. La legittimazione della mafia è implicita nella mancanza di reazione ostile di chi accanto al mafioso vive e forse persino prospera. L'unica risposta onesta alla mafia è combattere la mafia, non lasciarla lavorare senza immischiarsi. Come nel maschilismo, si nasce già immischiati. Nessuno è innocente se crede di dover rispondere solo di sé.

Qualcuno mi fece notare che questo ragionamento era un discorso di odio perché focalizzava l'argomentazione sugli uomini e non teneva conto del fatto che anche le donne – proprio come nella mafia – sono immischiate nel maschilismo quanto i loro fratelli, figli e mariti, anzi spesso sono proprio loro a difenderne con piú forza il sistema simbolico, facendosi vestali e carceriere della stessa gabbia in cui sono tenute prigioniere a loro volta. È ovvio che è cosí. In una cultura patriarcale tutti e tutte cresciamo compromessi dal pregiudizio sessista. Smettere di esserlo richiede una scelta personale prima consapevole e poi esplicita, sia per gli uomini che per le donne. Cosí come non basta essere femmine per essere automaticamente femministe, non è mai stato indispensabile essere maschi per praticare il maschilismo. Il patriarcato ha conformato anche noi donne ai suoi modelli, facendoci crescere in un immaginario discriminante in cui abbiamo letto, ascoltato, guardato e nominato solo storie, cose e situazioni che presentavano il dislivello di genere come un dato naturale e irriformabile. Tutte le donne che a un certo punto della vita hanno scelto il femminismo come pratica di giustizia sanno benissimo che la prima battaglia l'hanno dovuta combattere contro i propri stessi condizionamenti e che quella lotta con il proprio lato oscuro forse non sarà mai del tutto conclusa. Il maschilismo è una cultura, non un dato del Dna maschile, tuttavia in nessun ragionamento è corretto equiparare vittime, carnefici e complici.

Se è ovvio che il sessismo riguarda tutti e tutte, è altrettanto evidente che il prezzo piú alto delle sue disuguaglianze lo pagano le donne e le persone LGBTQI+. All'apice della piramide di potere che chiamiamo patriarcato c'è il maschio eterosessuale in quanto tale. Ogni maschio eterosessuale che nasca dentro il patriarcato deve essere consapevole di abitare lo scalino piú alto di una gerarchia di ingiustizia dove tutti quelli e quelle che stanno sotto di lui hanno meno diritti riconosciuti. Negarlo sarebbe non solo illogico sul piano intellettuale, ma anche scorretto su quello etico. Dire «Ma io cosa c'entro con questo» è infantile e un po' furbo, perché significa non voler riconoscere la differenza tra il concetto di colpa e quello di responsabilità. La colpa è un carico morale esclusivamente personale e, a meno che tu non abbia praticato deliberatamente un'ingiustizia o una violenza su qualcuna, ovviamente non è tua. La responsabilità invece è un carico etico collettivo che ci riguarda tutti e tutte, perché le regole che seguiamo ogni giorno reggono la disuguaglianza che viviamo, anche se in misura diversa. La colpa ce l'hai o non ce l'hai. La responsabilità invece te l'assumi se pensi che quelle conseguenze ti riguardino e tu possa fare qualcosa per modificarle in meglio. È in nome della responsabilità, non della colpa, se ogni anno celebriamo la Giornata della memoria delle vittime del nazismo, perché dopo la Shoah dire «Non ho mai messo un ebreo in una camera a gas» non è piú sufficiente: abbiamo capito tutti che occorre lottare quotidianamente contro i focolai del razzismo che ancora permangono nella nostra società. Fuori da questa logica di assunzione della responsabilità, affermare «Non sono maschilista» in fondo significa dire che «Le conseguenze del maschilismo non sono un mio problema e non le devo risolvere io».

Il sessismo, come il razzismo, è una cultura aggressiva: pensare che basti viverci dentro passivamente per non averci niente a che fare è un'illusione che nessuno può permettersi di coltivare. Se agli uomini della mia generazione quest'illusione pare ancora possibile, tra i maschi piú giovani è sempre piú diffusa la consapevolezza di far parte di un sistema di privilegio da cui occorre dissociarsi attivamente. Il merito è delle giovani donne che hanno coltivato una nuova coscienza antisessista e in questi anni hanno trovato il modo per trasmettere ai loro coetanei l'urgenza di un cambiamento congiunto. A volte qualcuno di questi ragazzi mi scrive, senza immaginare che incredibile senso di speranza nel futuro mi diano le sue parole: «Mi chiamo Andrea e la mia piú grande fortuna è stata quella di aver conosciuto ed essermi innamorato di una ragazza che sta cercando incessantemente la sua via per cambiare un po' questo mondo pieno di ingiustizie. Perché ti scrivo questo? Perché vorrei darle tutto il mio sostegno incondizionato, ma alle volte il senso di colpa di essere nato dalla parte degli oppressori mi fa sentire un incapace. Vorrei chiedere a te, come farò con altre donne che stima e che stimo, come si fa a cambiare il mondo giorno dopo giorno. Mi scuso per il messaggio un po' retorico, ma è importante per me».

Andrea non dice «Non sono maschilista», dice «Vivo anche io in un sistema maschilista, ma voglio cambiarlo». Se qualcuno si chiedesse che aspetto abbia un femminista, io credo sia fatto cosí.

C'è un corollario di affermazioni che si accompagna alla convinzione che sin troppi uomini hanno di non essere maschilisti: ciascuna di esse, è quasi inutile specificarlo, è maschilista.

La colpa è delle madri.

All'inizio del 2021 due eventi apparentemente scollegati tra loro rivelarono la nervatura dello stesso pregiudizio. Il primo fatto fu che un uomo vestito da gnu prese d'assalto il palazzo del Congresso americano insieme a centinaia di altri estremisti per impedire la nomina di Joe Biden e Kamala Harris alla presidenza degli Stati Uniti. Il secondo fu che la casa comunale del paesino di Pollenza fu vittima di un atto vandalico alle sue finestre nella notte di Capodanno. Nel primo caso i giornali empatizzarono con il golpista trumpiano raccontandolo freudianamente come uno la cui madre se n'era andata con un altro e il padre si era suicidato. Nel secondo caso il vicesindaco di Pollenza comunicò via Facebook la sua rabbia ai vandali dicendo: «Non è colpa vostra, ma delle vostre madri puttane che vi hanno messo al mondo». La madre, come origine di ogni maschia devianza, è un grande classico dello scaricabarile e vale anche quando non si sa a chi dare la colpa del proprio maschilismo. «Non sono maschilista, ma se pure lo fossi sarebbe comunque colpa di mia madre che mi ha cresciuto cosí. Siete voi donne a curare la nostra educazione, quindi la responsabilità del risultato è vostra». Il fatto che la società sia ostile alle donne sarebbe dunque colpa delle donne stesse. A parte descrivere gli uomini come dei soggetti privi di capacità di autodeterminazione al punto da dare la colpa alla madre di ogni azione compiuta anche in età adulta, questa frase è l'esatto frutto della mentalità maschilista che pretenderebbe di contraddire: in un mondo non maschilista le madri non sarebbero mai gli unici soggetti deputati a occuparsi dell'educazione dei figli. È ovvio che l'educazione maschilista passi anche per le madri, ma la colpa non è delle madri, casomai del maschilismo.

Le peggiori siete voi.

Il maschilista sulla difensiva a un certo punto sfodera il benaltrismo a danno di tutte le donne, affermando che, qualunque cosa un maschio possa dire o fare per discriminarle, non sarà mai pari a quello che loro stesse fanno le une contro le altre. In sintesi, se non è colpa di sua madre è comunque colpa vostra, lui al massimo si è messo al traino.

Se pure fosse vero che le donne si fanno volentieri male a vicenda, non si comprende perché mai questo dovrebbe giustificare il sessismo maschile. Il punto è un altro: è falso che le donne sono le peggiori critiche delle altre donne. A essere vero è che il sessismo vince nella misura in cui divide le sue vittime e una delle tattiche piú efficaci per ottenere questa contrapposizione è proprio quella di insegnare alle donne a diffidare l'una dell'altra, sia mai che diventassero amiche e si organizzassero. Piú le donne diventano femministe, piú si fidano delle altre donne.

Anche gli uomini sono discriminati.

Un uomo può sperimentare la discriminazione personale per varie ragioni, ma non conosce la discriminazione di genere, perché nessuna cultura ha mai perseguitato i maschi in quanto maschi. Nel mondo in cui viviamo, un povero sarà sempre piú discriminato di un ricco, cosí come un uomo di colore subirà certamente piú ingiustizie di uno di pelle bianca, né serve uno statistico per intuire che un maschio piacente avrà maggiori opportunità di riuscita sessuale di quante ne abbia uno che non rientra nello standard estetico del suo tempo. Nessuna di queste marginalizzazioni individuali può essere usata come bilanciamento del sistema di discriminazione che da secoli nega i diritti alle donne, a tutte le donne, solo in quanto appartenenti al genere femminile: quelle ricche e quelle povere, quelle bianche e quelle di colore, quelle considerate piacenti e quelle che invece sono state cresciute credendo di non esserlo. La disuguaglianza attraversa anche il mondo femminile in modo intersezionale, ma esiste un minimo comune denominatore che le discrimina tutte, ed è il sesso. Ecco perché si chiama sessismo.

"Sei una donna con le palle"

SÍ, **AL PIEDE!**

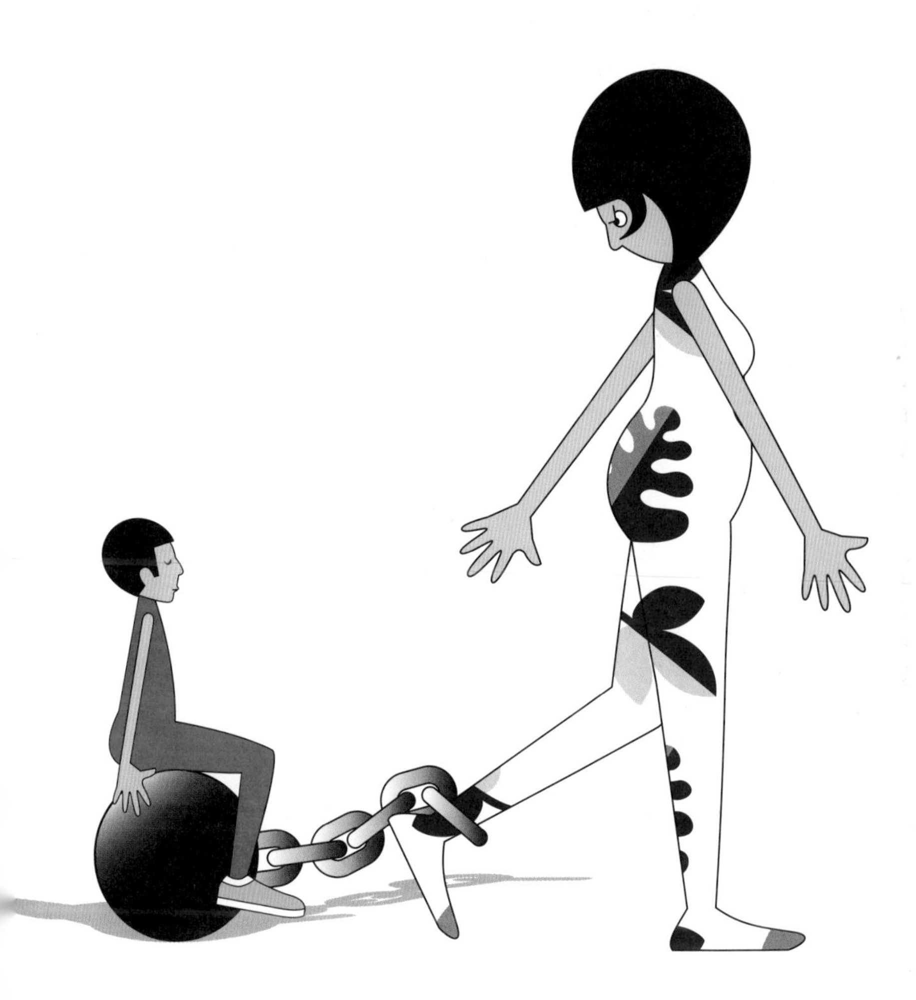

Sei una donna con le palle

Qualche anno fa, prima di una conferenza pubblica in una cittadina dell'Emilia-Romagna, un intellettuale con il compito di introdurmi alla platea mi definí piú volte come «un importante scrittore italiano». La prima volta, credendo il maschile un lapsus, la sala diede vita solo a qualche colpo di tosse. La seconda volta però qualcuno rise apertamente. Quando accadde per la terza volta ero cosí in imbarazzo che dovetti interrompere la persona che parlava per sussurrargli di rivolgersi a me usando il femminile. La sua risposta, a microfono serenamente aperto, mi lasciò di sasso: «Perdonami, lo so che ci tieni, ma io stimo troppo la tua scrittura per definirti solo scrittrice». Nell'ottobre del 2020 il critico musicale di un noto quotidiano scrisse che la direttrice d'orchestra Joana Mallwitz, dal podio di Salisburgo, era cosí brava che faceva «esattamente quello che farebbe un uomo, l'orecchio non percepisce la differenza».

Il pregiudizio che sia la maschilità il parametro per definire l'eccellenza è cosí diffuso che molte donne pensano che la soluzione per non essere sottovalutate sia effettivamente quella di comportarsi come farebbe un uomo. Sarebbe persino facile, se non restasse un ultimo dubbio: come scrive un uomo? Come dirige un'orchestra un uomo? Forse che tutti gli scrittori scrivono allo stesso modo o tutti i direttori dirigono allo stesso modo in quanto maschi?

Ovviamente non è cosí: in ogni ambito ci sono uomini mediocri e uomini eccellenti; solo che quando un uomo sbaglia è colpa sua, mentre quando sbaglia una donna, sono tutte le donne a essere incluse nel suo fallimento. Incolpare un genere intero per i limiti di un singolo individuo, cosí come ascrivergli collettivamente quelli che sono meriti personali, è proprio il cuore del sessismo. Lo si è fatto per anni nel razzismo e nell'omofobia, ma nessuno oggi alla consegna degli Oscar direbbe: «Ed ecco a voi finalmente un nero che recita come un bianco», perché è pacifico per chiunque che il colore della pelle non ha nulla a che fare con il talento attoriale. Allo stesso modo ci vergogneremmo a scrivere: «Finalmente un gay che dipinge come un etero!», perché l'orientamento sessuale non è considerato da nessuno un parametro della capacità pittorica. Nell'anno del Signore 2020 a un critico musicale è parso invece addirittura un complimento scrivere che finalmente a Salisburgo c'era una donna che dirigeva un'orchestra come un uomo. Una donna-uomo. Una uoma. Se si fosse espresso al bancone di un bar forse avrebbe scritto che era una coi coglioni e coi controcoglioni, o cazzuta e con i controcazzi, perché i complimenti alle donne di carattere da sempre si fanno descrivendole come dotate di genitali maschili. L'unica donna che si merita il rispetto paritario degli uomini in un mondo sessista è quella che agisce come ci si aspetta dal piú machista dei maschi. Questa evidenza si impara prestissimo e ha come conseguenza il fatto che molte donne pensano effettivamente che per essere rispettate e accolte in una dinamica di potere occorra passare attraverso un processo di assimilazione non al maschio – i maschi sono troppi –, ma all'idea sociale del maschile, che nel patriarcato è solo una.

Molte donne ambiziose, se non possono o non vogliono scalare la gerarchia del potere seducendo un uomo potente, si ingegnano in ogni modo per diventare la sua copia, assumendo su di sé lo stereotipo maschile dello spirito guerriero, dell'improntitudine, della muscolarità di carattere, della determinazione nelle scelte e della propensione alla competizione nelle azioni. L'esempio storico piú significativo è Margaret Thatcher, prima ministra inglese negli anni Ottanta, che distrusse lo stato sociale del Regno Unito con scelte di politica economica ultraliberista, che fronteggiò spietatamente la reazione dei minatori e che non esitò un attimo a mandare le portaerei sulle coste dell'Argentina per non cedere il controllo della colonia-scoglio delle isole Malvinas, che gli inglesi si ostinano ancora oggi a chiamare Falkland. La chiamavano con ammirazione Lady di ferro, perché le donne di successo vengono spesso associate a metalli freddi e duri e i loro percorsi vengono raccontati come processi di emancipazione che dovrebbero ispirare le bambine. L'emancipazione però non coincide con il successo della singola donna dentro al sistema patriarcale. Per emanciparsi davvero occorre essere capaci di mettere in discussione il modello di potere, la matrice schiacciante del meccanismo di cui ci si è appropriate, perché arrivare dove puoi schiacciare a tua volta non è una rivoluzione: è complicità. Per questo raggiungere il potere e basta non è femminista, se non ci si chiede: «Quale potere ho raggiunto?»

Il maschilismo concepisce il potere solo come un'azione che si esercita contro qualcuno. La massima preferita dagli interpreti di questa logica è erroneamente attribuita a Giulio Andreotti, forse perché oltre a citarla l'ha incarnata ogni singolo giorno della sua vita, ma è di Talleyrand: «Il potere logora chi non ce l'ha». Detenere il potere in un sistema gerarchico è un processo di natura sottrattiva: per averlo bisogna portarlo via a qualcuno, che però se ne sentirà defraudato e agirà facendo tutta la guerra che può. Chiunque abbia ricoperto incarichi di potere sa per esperienza che una gran parte delle energie non va spesa a esercitarlo, ma a difenderlo. Il rapporto suggerito è quello del debole col forte, una visione selvaggia che riproduce le dinamiche di un branco animalesco, con soggetti alpha a dominarlo e tutti gli altri gregarizzati e sottoposti all'obbedienza. In questa rappresentazione di potere il sesso ha un ruolo importantissimo e di conseguenza lo ha anche il sessismo. Il linguaggio che usiamo è come sempre il materiale piú rivelatorio dei nostri pensieri: essere potenti o essere impotenti sono espressioni ambivalenti applicate sia alle dinamiche di un consiglio di amministrazione che al rapporto sessuale, a indicare l'abilità maschile a compiere l'atto della penetrazione. Per questo essere impotenti, cioè non riuscire a raggiungere l'erezione, sul piano simbolico è considerato l'equivalente di un'incapacità sociale di dominare i rapporti di potere in cui si è inseriti.

Se una donna dal carattere deciso viene definita «cazzuta», a esserle evocati addosso non sono semplicemente i genitali maschili, ma la capacità di usarli come farebbe un uomo potente: per penetrare qualcun altro. La sovrapposizione linguistica tra sesso penetrativo e potere è costante e voluta. Essere stati *fottuti* è la traduzione sessuale dell'aver avuto la peggio in uno scontro di potere. *Prenderla nel culo*, espressione violenta, sessista e omofoba, è la versione piú volgare dello stesso concetto, ma vale la pena riportarla, perché evidenzia in modo chiaro l'idea che la penetrazione, nel linguaggio che usiamo abitualmente, sia in realtà la metafora di un atto di dominio. Dentro questo quadro si capisce anche come lo stupro non sia l'espressione di un incontenibile desiderio fisico, ma un atto di affermazione di potere agito brutalmente senza il consenso dell'altra persona.

Benché «prenderla nel culo» sia un'espressione con problematici risvolti omofobici, non è raro ritrovarne gli echi anche nel linguaggio omosessuale maschile, dove la distinzione tra attivo e passivo crea una gerarchia tra chi subisce la penetrazione e chi la pratica. Oltre a definire tutto il genere femminile come passivo (quindi implicitamente sottomettibile), l'espressione spesso rivela l'omofobia introiettata anche da molti uomini gay, che si ritengono un po' meno gay solo perché penetrano senza essere penetrati. È un gioco di specchi, dove il riflesso della donna cazzuta è l'uomo con la fica. Le donne che hanno accesso ai luoghi di comando e agiscono secondo questa idea di potere si fanno carico del mantenimento di un modello che è lo stesso che le ha oppresse, rinunciando a trovare una modalità che consenta di esercitare il potere *con* qualcuno, invece che *contro* qualcuno. Il loro potere, se cosí agito, non ha nulla di femminista. La vera emancipazione è usarlo per rendere possibile anche ad altre donne il superamento degli ostacoli sessisti che impediscono loro di essere riconosciute e valorizzate. Se serve solo a te, non è femminismo.

I termini che declinano questo concetto sono molti e per praticità ne ho scelti solo alcuni. I primi tre sono riferiti agli uomini, perché è dai cliché sessisti sui maschi che deriva quello della donna con gli attributi.

L'uomo solo al comando.

L'uomo al comando è solo per definizione, perché nel sistema gerarchico patriarcale la prima conseguenza del dominio è la solitudine. In quella struttura, dominare in compagnia non è pensabile. L'immagine della persona isolata sulla vetta conferma l'idea che il potere sottrattivo logori senz'altro chi non ce l'ha, ma in fondo anche chi ce l'ha. La donna che aspirasse a quel tipo di potere viene avvisata prima ancora che cominci a perseguirlo: il prezzo da pagare per vincere a quel gioco è non avere nessuno accanto, una condizione che un uomo – creatura razionale – può anche vivere con la sfumatura di epicità che spetta ai cavalieri solitari, ma che una donna, raccontata da sempre come creatura relazionale, non può che avvertire come l'annuncio di una sconfitta esistenziale.

L'uomo da battere.

È il piú competitivo e quindi chi si mette a sfidarlo nel gioco del potere deve predisporsi a essere a sua volta imbattibile. L'assunzione della categoria dell'invincibilità da parte delle donne ha su di loro conseguenze devastanti in termini di sovraccarico di fatica e stress. Le donne italiane, che sono tra le europee quelle che subiscono il maggior dislivello nella distribuzione del carico di lavoro familiare nella coppia, se vivono anche la dimensione della carriera svolgono di fatto due lavori, uno dei quali non retribuito, con il relativo carico mentale. In questa carambola di energie disperse si inserisce la terrificante leggenda del cervello femminile multitasking, che aggiunge ulteriori pretese di performatività. Competere nel mondo del lavoro con questo gap è difficilissimo, ma se continuano a ripeterti che la corsa all'affermazione si fa prendendo a modello l'uomo da battere, niente di strano che in fondo al traguardo ne arrivino cosí poche.

L'uomo forte.

La categoria dell'uomo forte, oltre a evocare i truci ricordi novecenteschi e la loro eco attuale, nella quotidianità rende molto difficile la vita agli uomini, costretti a negare di avere fragilità e a nascondere tutti quegli aspetti della loro personalità che per qualche ragione non collimano con la proiezione della forza virile machista. La donna che osserva questa dinamica trae inevitabilmente indicazioni di modo per guidare la sua parabola di riuscita personale. All'aumentare delle responsabilità, la donna che vede crescere il proprio potere sente di essere costretta a imporsi lo stesso tipo di amputazione: fragilità emotiva, stanchezza, paura, nostalgia o compassione diventano zavorre da scaricare o celare, pena la perdita di accessibilità al tappeto da wrestling dove si confrontano i campioni.

Guerriera.

Se il potere si ottiene sottraendolo, decidere di provare a prenderlo è una dichiarazione di guerra. La donna che entra nelle logiche di dominio machiste inizia a considerare un complimento i termini militari che le vengono affibbiati, ma si troverà a compiacersi anche di quelli che l'assimilano a una predatrice o evocano figure femminili leggendarie e spaventose: soldatessa, generalessa, lady di ferro, donna d'acciaio, leonessa, pitonessa, virago, erinni. Se ve li rivolgono, c'è poco da sorridere: non sono complimenti, ma certificazioni del fatto che, in un sistema che rispetta solo quello che teme, per farcela davvero bisogna rassegnarsi a far paura.

«Cougar».

Nel gioco delle trasformazioni delle persone in predatori da giungla, la parola inglese *cougar* ha un'accezione che esiste solo per le donne e riguarda la sfera sessuale. Italianizzabile con «pantera», la *cougar* è una donna senza figli tra i trentacinque e i cinquantacinque anni che intrattiene relazioni sessuali con uomini piú giovani. Anche se la sovrapposizione tra potere e capacità sessuale vale ovviamente anche per gli uomini, non esiste un termine per definire i maschi che frequentano donne piú giovani: se un uomo potente ha una compagna giovane e piacente, sarà lei a essere definita *trophee wife*, moglie trofeo, e l'esempio piú mediatico in questi anni è stata Melania Trump. Per contro, se la donna potente ottiene attenzione sessuale da maschi piú giovani (che secondo il modello machista non le spetterebbero per anagrafe), è lei a vedersi affibbiato l'aggettivo bestiale. Nel vocabolario sessista questa parola orribile vorrebbe essere un complimento: il sistema sta confermando alla donna il potere di aver raggiunto il livello apicale dal quale non si è piú dominati, ma finalmente si domina, cioè si sceglie anziché essere scelte. Nelle logiche del patriarcato ha ragione Frank Underwood: tutto nella vita riguarda il sesso, tranne il sesso. Il sesso riguarda il potere.

"Adesso ti spiego"

BLA, **BLA**, BLA...

Adesso ti spiego

Nella vita mi è capitato molte volte, e tuttora mi succede di quando in quando, di incontrare uomini che mi spiegano cose che so già benissimo. Questi uomini non sono quasi mai intenzionati ad agire paternalisticamente, ma non significa che non lo facciano. Durante il primo lockdown del coronacene ho subito una lezione sull'Immacolata Concezione da un critico d'arte che la confondeva con l'Incarnazione. Caterve di uomini l'8 marzo mi hanno illustrato come andrebbe condotta la lotta femminista per essere davvero efficace. Ho visto youtuber farsi avanti su Twitter per spiegarmi in centoquaranta caratteri cos'è la *cancel culture*. Un giornalista mi ha specificato che declinare i mestieri al femminile è inutile, perché altrimenti dovremmo dire anche «farmacisto». Una volta un signore molto elegante, durante un ricevimento all'ambasciata tedesca a Roma, mi consigliò di leggere *Canne al vento* di Deledda perché gli avevo detto che ero sarda.

Per ogni mio bagaglio di interesse o competenza pubblica ho incontrato almeno un uomo che non lo possedeva e che ha comunque cercato di spiegarmelo. Il *mansplaining*, parola resa al meglio in italiano dal neologismo «minchiarimento», è proprio questo: una pratica sessista di superiorità paternalistica esercitata da qualunque uomo che, in una discussione con una donna, si metta a illustrarle le cose in modo accondiscendente e semplificato, dando per scontato che lei ne sappia meno di lui anche quando ci sarebbero abbastanza elementi per supporre il contrario.

Il minchiarimento è un atto molto facile da riconoscere per le donne che conosco, ma resta ancora oscuro anche ai piú benintenzionati tra i miei amici maschi. Esso non definisce qualunque argomentazione portata da un uomo in una discussione con una o piú donne presenti, ma solo quella che è visibilmente frutto della combinazione tra il suo eccesso di sicurezza, la sua mancanza di competenza e la sottovalutazione di quella altrui. Ad articolare il concetto è stata la scrittrice Rebecca Solnit, la quale, pur non avendo inventato il termine, lo ha reso popolare con un libro che sul tema resta miliare[4]. Il minchiarimento si presenta in tante forme, che vanno dalla facilità di interruzione quando a parlare in una conversazione è una donna fino allo spiegone non richiesto, di solito premesso dalla frase «Magari non ti è chiaro...»

Questa tecnica produce inconsapevoli effetti. Da un lato conferma il radicatissimo pregiudizio che le donne siano ignoranti e prive di capacità intellettuale. Secoli di descrizione del sesso femminile come svampito, emotivo e frivolo non si cancellano in cinquant'anni, e alla concessione del diritto di parola pubblica non si è accompagnato spontaneamente il rispetto del pensiero espresso. Il mio professore di italiano alle superiori amava ribadire che doveva pur esserci un motivo se non era mai esistito uno Shakespeare donna, ma a differenza delle pagine di

[4] Cfr. Rebecca Solnit, *Gli uomini mi spiegano le cose*, trad. it. di Sabrina Placidi, Ponte alle Grazie, Milano 2017.

Virginia Woolf che forse citava[5] senza saperlo, lui era sinceramente convinto che quel motivo fosse il limite femminile, non il fatto che le donne abbiano avuto accesso all'istruzione centinaia di anni dopo gli uomini. Dall'altro lato, anche tra molti di quelli che non pensano piú che una donna sia incapace di complessità cognitiva, il *mansplaining* risponde alla necessità di ribadire una gerarchia sessuale nell'importanza del pensiero. È come se un *mansplainer* avesse scritto in testa, da qualche parte, questo appunto: «Posso accettare che tu, in quanto donna, sappia qualcosa, purché ti sia chiaro che questo qualcosa è comunque meno di quello che so o so fare io». Se i vostri interlocutori sospettano che questo concetto non vi sia chiaro, state pur sicure che cercheranno di min-chiarirvelo.

La sottovalutazione della capacità di pensiero delle donne ha risvolti in ogni ambito della vita sociale. Comincia quando a sette anni regalano il piccolo chimico a tuo fratello e a te mettono in braccio una bambola, e continua dieci anni dopo quando, troppo tardi, durante l'ultimo anno del liceo, faranno campagne per «avvicinare le ragazze» alle materie scientifiche, sottintendendo implicitamente che se ne siano allontanate da sole. Agisce nei convegni dove le donne vengono chiamate a fare le domande e mai a dare le risposte e prosegue fino a quando, da vecchie, verranno semplicemente cancellate dallo scenario della rappresentazione pubblica, dove peraltro erano già state poco presenti anche prima. Nei programmi televisivi italiani, dai talk politici alle poche trasmissioni di servizio pubblico rimaste, siamo abituati a sentir parlare «grandi vecchi» e venerati maestri

[5] Virginia Woolf, *Una stanza tutta per sé*, trad. it. di Maria Antonietta Saracino, Einaudi, Torino 2016.

politici, filosofi, psichiatri, storici, linguisti e persino comuni presentatori, assurti a pontificatori universali per il solo merito di avere occupato lo spazio mediatico ininterrottamente per quattro decenni. Al contrario, non esiste la categoria delle «grandi vecchie» nel discorso pubblico mainstream. Abbiamo avuto solo tre eccezioni di donne anziane che sono state considerate autorevoli in senso esteso: due scienziate di primissimo piano che si sono occupate essenzialmente delle loro materie – Margherita Hack e Rita Levi-Montalcini – e Liliana Segre, instancabile testimone dell'orrore dei lager nazisti. L'altissimo profilo e il piccolissimo numero di queste figure femminili dimostra la già altrove descritta maledizione di Ginger Rogers[6], secondo la quale devi saper fare tutto quello che fa Fred Astaire, ma all'indietro e sui tacchi: per poter acquisire il diritto di occupare lo spazio civico, una donna deve avere una competenza eccezionale laddove a un uomo basta essere minimamente capace.

Le frasi che preludono al minchiarimento sono subdole e non sempre facilmente riconoscibili, ma tutte vogliono dire comunque la stessa cosa: ne so piú io di te.

Non è roba da donne.

Sembra una frase degli anni Cinquanta, ma è una costante nelle conversazioni quotidiane in tutti gli ambiti di lavoro, ludici e sociali. Dalle battute sull'incapacità femminile coi mezzi meccanici fino alla mancata educazione familiare circa la gestione della propria autonomia economica, la convinzione che ci siano cose che le

[6] Michela Murgia e Chiara Tagliaferri, *Morgana, storie di ragazze che tua madre non approverebbe*, Mondadori, Milano 2018.

donne non possono fare o imparare è ancora radicata e ha delle conseguenze pesanti sulla loro vita in primis e poi su quella dell'intero Paese.

Le donne si iscrivono in misura minore ai corsi di studio a prevalenza scientifica o tecnologica perché vengono educate sin da piccolissime a credere che quelle materie non siano adatte a loro. Quelle che li intraprendono hanno difficoltà a farsi pagare quanto i colleghi maschi, perché ancora troppe persone pensano che le donne la casa debbano arredarla, non costruirla. Per contro, gli uomini subiscono un'educazione orientata a convincerli che le competenze di cura e assistenza siano talmente lontane dalla loro natura che in pochissimi le scelgono come percorso professionale. L'idea che le donne siano creature semplici, atte a imparare soprattutto cose utili alla gestione relazionale, sta alla base della convinzione che qualunque uomo possa spiegare loro tutto il resto.

Cosa ti aspetti, è bionda.

Sembra inverosimile, ma non lo è: uno dei pregiudizi inconsapevoli piú duri a morire vuole che le donne bionde siano piú stupide e frivole della media, andando a costituire involontariamente una sottocategoria piú discriminata persino tra le donne stesse, che condividono con gli uomini il cliché che la bionda sia anche piú «facile» agli approcci sessuali. La convinzione inconscia che le donne con i capelli chiari non possano essere prese sul serio è talmente appurata nelle valutazioni del sessismo negli ambienti di lavoro che nella Silicon Valley, la Mecca della new economy, le professioniste bionde se li tingono di castano per guadagnarsi la fiducia degli investitori. Per gli uomini biondi il problema di finire sottovalutati nei luoghi di lavoro non esiste, perché l'aspetto fisico maschile non è sessualizzato o non lo è nella stessa misura in cui capita alle donne.

A cosa ti serve studiare?

A vent'anni ero fidanzata con un ragazzo benestante il cui padre non si capacitava che io volessi proseguire gli studi fino alla specializzazione, considerato che suo figlio aveva già una carriera avviata. L'idea che potessi studiare perché volevo essere istruita non solo non gli sembrava valida, ma la considerava in fondo pericolosa, perché se tutti intorno a te pensano che il tuo compito principale nella vita sia fare la mamma e la moglie, l'eccesso di qualifica professionale può generarti delle aspettative che non sono certo colmabili dentro alle mura di casa. Il rapporto inversamente proporzionale tra scolarizzazione femminile e tasso di natalità è considerato segretamente minaccioso da molti uomini, anche politici, che intravedono nell'emancipazione delle donne dai compiti familiari il vero pericolo per la società occidentale. Se tutte le donne studiano e lavorano, chi farà le famiglie? E senza le famiglie, che società saremo? Il sogno segreto di ogni maschilista, quando pratica il *mansplaining*, è quello di avere davanti una donna ignorante che vive bene in un mondo spiegatole dagli uomini.

Brava.

Sentirsi dire «brava» – al di là del piacere che si può provare nell'immediato – implica il subire un giudizio. Il giudizio è positivo, ma questo è relativo. Il fatto stesso di sentirsi dire da qualcuno che si è brave significa che quella persona ritiene di trovarsi nella posizione di poter giudicare il vostro lavoro. A volte questo è vero: un genitore con la prole che fa progressi educativi, un professore che vi restituisce un compito, un allenatore a fine gara, un superiore in grado, una professionista piú competente di voi, una giuria a un premio o il pubblico a uno spettacolo hanno tutto il diritto di dire se siete state brave o meno. Ma se a dire quel «brava» è un vostro pari o addirittura una persona che ha meno competenza di voi, il discorso cambia completamente, la parola smette di essere un complimento ed entra a pieno diritto nel novero dei comportamenti condiscendenti. Il «brava» è un classico dei rapporti di *mansplaining*. Quando un uomo che ha meno competenza di voi si arroga il diritto di certificare le vostre affermazioni o il vostro livello professionale sta dicendo che avete fatto le cose esattamente come lui pensava che andassero fatte, assumendo di fatto una posizione di superiorità. Talvolta la parola «brava» si accompagna a un gesto paternalistico, una specie di carezza piú o meno evidente che sancisce approvazione. Attente ai «brava» che vi arrivano, perché spesso non rivelano cosa siete capaci di fare, ma quanto si senta superiore a voi chi ve li dice.

"Era solo un complimento"

SEI **LA MIA** STUDENTESSA PIÚ SEXY!

CHE **BEL CULO!**

NON SAI **CHE TI FAREI...**

EHI, **CARINA!**

DOVE VAI? **VIENI QUI!**

SORRIDIMI, DÀI!

SUCCHIAMELO!

MA **CHE BELLA** AVVOCATA!

Era solo un complimento

Nella sontuosa cornice del teatro La Fenice di Venezia, durante la cerimonia di premiazione del Campiello del 2010 trasmessa da Rai 1, il conduttore Bruno Vespa invitò la scrittrice Silvia Avallone a salire sul palco per ritirare il premio assegnatole per il suo romanzo *Acciaio*, vincitore come miglior opera prima. Mentre Avallone faceva i pochi gradini verso il proscenio vestita di un abito da sera color crema del tutto adeguato all'eleganza della circostanza, Bruno Vespa esclamò rivolto alla regia: «Prego inquadrare lo spettacolare décolleté della signorina». Un istante prima di quella frase la scrittrice sorridente si stava voltando verso il teatro gremito per ricevere l'applauso per i suoi meriti letterari. Un attimo dopo tutti i presenti, dalle poltroncine e dai palchetti, uomini e donne indistintamente, le stavano fissando la scollatura. È facile immaginare che anche da ogni divano di casa gli spettatori, aiutati da una regia compiacente, stessero giudicando la spettacolarità del décolleté, del tutto dimentichi che Avallone si trovava su quel palco per ricevere un premio letterario, non per farsi inquadrare le tette.

Ciò che la scrittrice subí quella sera a favore di telecamera sul primo canale pubblico avrebbe avuto tutti gli estremi per essere definito una molestia. «Esagerata, – mi direte, – alla fine era solo un complimento».

Smettete di pensarlo o di farvelo dire, perché non è vero. Un complimento è dire a una donna «Sei bella» e solo in certi contesti, per esempio se sei uscita a cena con un uomo che ti piace e non durante una premiazione letteraria o una riunione di lavoro. «Inquadratele le tette» invece non è un complimento in nessuna circostanza e in quella serata era specificamente un abuso di potere mediatico esercitato dal padrone del palcoscenico su una donna che non era nella condizione di reagire se non abbozzando.

«Inquadratele le tette» significa «dispongo dell'immagine del tuo corpo e neanche ti chiedo il permesso». A pretendere che la sua frase fosse un complimento ci provò lo stesso Bruno Vespa, difendendo la sua uscita come «un apprezzamento fatto con molta grazia» e dicendo a chi lo aveva criticato – nello specifico io – che mancava di «senso dell'umorismo». Ammetto di faticare a capire ancora oggi cosa ci fosse di umoristico nell'intimare a una regia di stringere l'inquadratura sul seno di una donna e aspettai per giorni che si alzassero altre voci critiche verso quel comportamento, doppiamente grave perché andava in onda sul primo canale del servizio pubblico. Attesi invano: solo Gad Lerner ebbe il coraggio di scrivere che quello che Vespa aveva fatto era un atto di potere, non un complimento. A levarsi numerose furono invece le voci in difesa di Vespa e delle sue buone intenzioni, con argomenti che oggi varrebbe la pena di andarsi a rileggere, anche solo per sentire quanto suonino insieme vuoti e gravi alla luce rivelatoria del #metoo. Ricordo un intervento su tutti, forse il piú emblematico, a firma di Claudio Sabelli Fioretti su «Io Donna», il settimanale femminile del «Corriere della Sera»: «Mi chiedo, se una giovane si presenta in pubblico scollatissima è perché il particolare è culturalmente pregnante o perché vuole essere ammirata? E se il conduttore, rozzamente quanto volete, la indica all'ammirazione, fa una cosa scorretta o fa quello che la giovane ha implicitamente stimolato?»

Mi stupisce ancora la tranquillità con cui l'argomento del *se l'è cercata* venne applicato al caso Avallone senza che nessuno facesse notare che è lo stesso artificio logico usato per dare alle vittime la colpa del loro stupro o dell'essere state oggetto di comportamenti sessualmente abusivi. L'idea che presentarsi in pubblico con un abito scollato implichi automaticamente l'autorizzazione a essere guardate nelle tette è la stessa che suppone il consenso a farsele toccare; in entrambi i casi, a pretendere di decidere quale sia la natura dell'atto non è la persona che lo subisce, ma quella che lo pratica, nella convinzione di essere stata provocata. Secondo questo ragionamento, l'unico modo per essere sicure di non ricevere attenzioni non gradite è mettersi il burqa.

Nessun maschio eterosessuale che tenesse una rubrica su qualsivoglia giornale, sito o canale televisivo italiano sembrò in quel momento in grado di riconoscere che il problema non è quanta pelle si veda del corpo di una donna, ma quanto lo sguardo maschile sia formato culturalmente a sessualizzare ogni centimetro che ne scorge. Se hai la testa a forma di fucile, tutto quello che vedi ti sembra un bersaglio, ed evidentemente la testa a forma di fucile, in questo Paese, ce l'avevano e continuano ad avercela ancora in parecchi.

Quanto questo equivoco abbia poco a che fare con il desiderio e molto con il potere è evidente dal fatto che le attenzioni sessuali non richieste diventano sempre piú esplicite quando la persona interessata è in una posizione di debolezza e non può reagire. La sera della cerimonia del 2010 il premio Campiello venne consegnato alla vincitrice dalla presidente di Confindustria Emma Marcegaglia, il cui abito blu elettrico era corto e non meno scollato di quello di Silvia Avallone, ma a nessuno, nemmeno a Vespa, sarebbe mai venuto in mente di intimare alla regia di inquadrare le tette della donna piú potente tra gli industriali italiani.

Non è inutile ricordare anche cosa disse Silvia Avallone, interpellata il giorno dopo la premiazione in merito alle attenzioni forzate di cui, secondo Sabelli Fioretti, avrebbe dovuto sentirsi la prima responsabile: «Francamente preferisco tirar dritto, come hanno imparato a fare le donne quando capitano cose simili». Non farne un dramma, insomma, ma se il dramma fosse proprio continuare a tirar dritto? Fare finta di niente è quello che abbiamo imparato, perché è quello che ci insegnano sin da bambine quando riceviamo attenzioni che non volevamo sollecitare. Davanti a ogni comportamento molesto ci intimano di essere superiori, sorridere, abbozzare e non opporre alcuna resistenza, perché tanto è una battaglia persa. L'idea che sia impossibile reagire è diffusissima e la si può capire, perché le energie che servono per ribellarsi all'essere considerate un bersaglio mobile delle esternazioni maschili sono troppe, dato che troppe sono ancora le azioni a cui bisognerebbe reagire. Chi vorrebbe opporsi avverte il rischio di precipitare in una sorta di guerriglia quotidiana contro chiunque, dal muratore del ponteggio che ti grida cosa farebbe col tuo culo, al collega in ufficio che ogni mattina ti fa la battuta a doppio senso davanti alla macchinetta del caffè. Ogni volta che protesti ricevi una strana e violenta ironia. *Non sai farti una risata. Non hai senso dell'umorismo. Non ca-*

pisci che è un complimento. Ti lamenti perché ti dicono che sei bella? Allora hai tu qualcosa che non va. Dovresti essere contenta se attiri il desiderio e l'ammirazione. Non è per questo che ti compri i vestiti, vai dal parrucchiere e ti trucchi? Non è lo sguardo maschile che cerchi? Se non ci fosse ti dispiacerebbe e quando non ci sarà piú, cioè quando sarai uscita dal radar anagrafico o estetico che ti identifica come oggetto di desiderio, vedrai come ti mancherà.

Dietro queste frasi c'è la convinzione che le donne vivano avendo come obiettivo l'essere desiderate dagli uomini e che siano in fondo loro stesse a chiedere di essere validate come sessualmente attraenti. Volere è potere, dice il proverbio, ma alle donne si lascia credere che il loro potere sia invece quello di essere volute. È un inganno: desiderare ti rende soggetto attivo e ti educa a scegliere, invece che a essere scelta. Chi desidera comanda. Dire sempre «desiderami» e mai «io desidero» è un cammino di de-formazione, perché chi può solo essere desiderabile sacrificherà la propria forma per prendere quella che pensa sarà piú desiderata, condannandosi a esistere solo come conseguenza dello sguardo di altri. Come Mina, molte di noi hanno cantato «sono come tu mi vuoi», recitando la parte della donna preda che si rivolge al suo amore «aspettando in silenzio»[7] che egli si accorga di lei.

Non è strano che il risultato di questa pedagogia tossica sia che ogni ragazzina pensi di essere bella solo se trova qualcuno che glielo grida a ogni angolo di strada o le mette like sulla bacheca di un social network, e dentro questa dinamica è perfettamente logico che in ogni ambito pubblico il giudizio sulla maggiore o mino-

[7] *Sono come tu mi vuoi* (Antonio Amurri - Bruno Canfora). Editore originale: Curci Edizioni Srl.

re desiderabilità delle donne venga espresso di continuo anche in contesti in cui non c'entra assolutamente niente. Dalla «culona inchiavabile» riferito ad Angela Merkel da Silvio Berlusconi alle gallerie di foto che sui quotidiani invitano a votare «la ministra piú sexy», l'idea che ci sia un giudizio universale permanente che grava su tutte le donne si radica nell'animo delle donne stesse. Essere guardate ed esistere in questa logica diventano la stessa cosa. La frase «Se fai cosí i ragazzi non ti guarderanno» è il mantra che, generazione dopo generazione, ha incastonato dentro di noi una specie di occhio mistico in forza del quale finiamo da sole a guardarci l'un l'altra come pensiamo che ci guarderebbe un maschio: giudicandoci.

Al di là della già scomodissima questione del giudizio, l'equivoco che contrappone la desiderabilità passiva femminile al desiderio attivo maschile rivela il vero problema della cultura patriarcale, che è quello dell'inutilità del consenso. Supporre che essere desiderata sia l'interesse primario di ogni donna rende del tutto superflua la questione della sua volontà, che viene data per implicita in ogni manifestazione del comportamento. La scollatura diventa un consenso a essere fissate sul petto. La gonna corta a vedersi guardare le gambe da chiunque. Il rossetto a essere baciate all'improvviso. I jeans elasticizzati a beccarsi la pacca sul sedere in autobus. Il semplice camminare per strada diventa l'autorizzazione a farsi fischiare da ogni finestrino. Il trovarsi a una festa e bere è indicatore certo di disponibilità sessuale. A una donna non bisogna chiedere alcun permesso, perché è la sua stessa esistenza di creatura desiderabile ad autorizzare la manifestazione del desiderio. Questo impianto di pensiero ha un nome: si chiama «cultura dello stupro» e ha conseguenze quotidiane che fatichiamo ancora a riconoscere come violenza. La violenza è considerata un atto di forzatura, un gesto oppositivo. La difficoltà a riconoscerla in questi cosiddetti complimenti deriva dal fatto che non si vede a cosa dovrebbero contrapporsi, visto che il consenso delle donne è sempre presunto. La cultura dello stupro viene teorizzata per la prima volta nel 1975 nel documentario intitolato *Rape Culture*, ma la definizione che mi sembra piú corrispondente alla varietà di forme di violenza esercitabili sulla volontà delle donne resta per me quella di Buchwald, Fletcher e Roth:

> La cultura dello stupro è un complesso di credenze che incoraggiano l'aggressività sessuale maschile e supportano la violenza contro le donne. Questo accade in una società dove la violenza è vista come sexy e la sessualità come violenta. In una cultura dello stupro, le donne percepiscono un *continuum* di violenza minacciata che spazia dai commenti sessuali alle molestie fisiche fino allo stupro stesso. Una cultura dello stupro condona come «normale» il terrorismo fisico ed emotivo contro le donne. Nella cultura dello stupro sia gli uomini che le donne assumono che la violenza sessuale sia «un fatto della vita», inevitabile come la morte o le tasse[8].

È sempre il linguaggio quotidiano a rivelare quanto questa definizione sia purtroppo corretta. Il modo in cui vengono raccontate le molestie nella cronaca giornalistica è intriso della cultura dello stupro, che agisce tutte le volte che le molestie verbali vengono definite «complimenti», le molestie on line «messaggi hot», l'insistenza non gradita «corteggiamento», le molestie fisiche «carezze», le allusioni sessuali «battute» e i video intimi diffusi in rete per vendetta «filmati hard». In questo registro è capitato di veder catalogare uno stupro di

[8] Emilie Buchwald, Pamela Fletcher e Martha Roth, *Transforming a Rape Culture*, Milkweed Editions, Minneapolis 1993.

gruppo come «notte di sesso sfrenato» e di sentir definire un abusante «innamorato pazzo» o «don giovanni».

La cultura dello stupro vive del pregiudizio che se una donna dice *no* vuol dire *forse* e se dice *forse* vuol dire *sí*, per cui niente di quello che afferma in relazione alla sua volontà ha in realtà un valore fattuale. Un uomo nato e cresciuto dentro a questa cultura riesce con fatica a immaginare un altro modo di porsi e spesso cade dalle nubi quando gli si fa notare che il suo comportamento è inopportuno. La reazione difensiva è immediata: «Ma io non volevo essere molesto, era solo un complimento». L'idea che non siano le sue intenzioni a configurare la molestia gli è del tutto estranea. Se un uomo pensa: «Ho scritto un messaggio osé» e la donna che lo riceve pensa: «Ho ricevuto un messaggio molesto», chi ha ragione? Chi decide la natura dell'approccio? La risposta giusta dovrebbe essere sempre e solo una: decide chi lo riceve.

Sembra ovvio, ma nelle società dove il consenso è considerato implicito al punto che chiederlo non è necessario, il rifiuto risulta incomprensibile e scatena aggressività e frustrazione. Cosí la donna che dovesse dire che quel tipo di attenzioni non le sono gradite finirà facilmente per sentirsi dare della frigida, della snob, dell'arrogante, della superba, della furba che mette in mostra le grazie e poi fa l'ingenua, ma anche della puttanella che fa eccitare gli uomini per poi negarsi. È difficile decidere di opporre resistenza quando sai già che alla fine la stronza sarai tu e lui il galantuomo che ti ha solo fatto un complimento.

I modi alternativi per esprimere lo stesso concetto della minimizzazione della molestia a complimento sono infiniti. Qui ne riporto solo alcuni, perché sono i piú frequenti.

«E dalle macchine per noi | i complimenti del playboy»[9].

Diciamolo una volta per tutte: non è un playboy quello che fa un complimento da una macchina, ma un estraneo convinto di avere il diritto di esprimere sul tuo corpo un parere che non gli hai assolutamente richiesto. Non sono complimenti i fischi dai finestrini: è *cat calling*. Basta romanticizzare la molestia definendo il molestatore *playboy*, *corteggiatore*, *innamorato*, *invaghito*, *sedotto* o *conquistato*. Basta sessualizzare la violenza con termini come *osè*, *sexy*, *hot*, *hard*, *bollente*, *sfrenato*, *selvaggio* o *passionale*. Solo il consenso è sexy. Il desiderio di uno senza la volontà dell'altro è invece un assalto di natura sessuale che ci fa sentire costantemente prede, cioè in pericolo. In barba alla canzone di Ruggeri, non esiste niente che le donne non dicano: bisogna solo ascoltarle.

Fattela una risata.

La tattica di farci passare come bacchettone senza senso dello humour solo perché ci siamo lamentate di una pacca sul culo o di una battuta sessista è vecchia quanto furba. Per anni il sorriso e il riso sono stati il modo con cui il patriarcato ha chiesto alle donne di mostrare acquiescenza e consenso alla loro stessa subordinazione. Il sorriso imposto è alternativo alla parola, un modo elegante per farci stare allo stesso tempo zitte e decorative. Sorridi sempre, bambina bella, come se il mondo ti stesse bene com'è. Sorridi, perché che motivo avresti del resto per non farlo? Non hai tutto quello che desideri? Non è questo il mondo in cui puoi essere

[9] *Quello che le donne non dicono* (Enrico Ruggeri - Luigi Schiavone). Editori originali: Universal Music Publishing Ricordi Srl e Warner Chappell Music Italiana Srl.

pienamente felice e soddisfatta di te? La risposta è no e bisogna cominciare a dirlo, perché ogni volta che accettiamo di sorridere davanti a un approccio sgradevole stiamo contribuendo a rendere legittime le molestie verso tutte le altre donne.

Non si può piú dire niente.

Mette tristezza la convinzione che un uomo non riesca a immaginare di poter manifestare il suo interesse per una donna senza farla sentire assalita o ridotta a pezzo di carne. Sono certa che esistono modi diversi dall'«inquadratele le tette» per dire a una donna che è bella, cosí come sono sicura che ci sono alternative migliori del *cat calling* per approcciare una ragazza durante lo struscio del venerdí sera.

Un primo passo è quello di imparare a riconoscere i contesti: «sei bella» detto a una collega in una riunione di lavoro è sempre inopportuno, ma potrebbe non esserlo in una serata informale in cui si va insieme a mangiare una pizza. «Complimenti per la scollatura!» detto durante la cerimonia del Nobel è sicuramente molesto, ma potrebbe non esserlo se lo dici alla donna con cui stai andando in discoteca. Complicato? Solo per chi ha pensato fino a ora che non fosse necessario farlo. Una volta capito che serve e lo si può imparare, si arriva persino a capire che non è sempre obbligatorio comunicare la propria approvazione.

Preferiresti passare inosservata?

Questa è una domanda scivolosa, perché il maschilismo – come ampiamente ribadito in queste pagine – è sempre ambivalente e anche nelle donne agisce in modo attivo a un livello profondo che spesso confina con la paura di non avere alternative. Sentire una frase come questa costringe tutte a chiedersi se davvero si è disposte ad accettare di non essere piú misurate in base alla propria desiderabilità, dopo averla inseguita come un traguardo per tutta la vita. Non bisogna accettare l'ingaggio proposto dalla domanda, perché non esistono solo le alternative di essere osservata come preda o di passare inosservata. C'è in mezzo un altro modo di guardare e di essere viste (e visti) che non passa per la riduzione a oggetto di voglie. È quello sguardo che va educato, ma non sorgerà mai se non cominciamo a pretenderlo.

Sono solo parole

Nel momento stesso in cui ho deciso di scrivere questo libro sapevo che ci sarebbe stato qualcuno pronto a dire che non sono queste le battaglie che contano e che, con tutto quello per cui occorre ancora lottare, è quantomeno laterale andare a fare le pulci proprio al linguaggio. La penso esattamente all'opposto. Sottovalutare i nomi delle cose è l'errore peggiore di questo nostro tempo, che vive molte tragedie, ma soprattutto vive quella semantica, che è una tragedia etica. L'etica formalmente è quella branca della filosofia che si occupa del comportamento umano in relazione ai concetti di bene e di male, ma nella nostra quotidianità essere etici significa soprattutto scegliere di trattare le cose nominate cosí come le abbiamo nominate. Sbagliare nome vuol dire sbagliare approccio morale e non capire piú la differenza tra il bene che si vorrebbe e il male che si finisce a fare. Viviamo in un mondo che da secoli con le donne (non solo con loro, ma soprattutto) continua a ripetere questo errore, che ha conseguenze con le quali facciamo i conti tutti i giorni. La violenza fisica, la differenza di salario, l'assenza della medicina di genere, il divario del carico mentale e del lavoro domestico, la discriminazione professionale e mille altri svantaggi sono concretamente misurabili anche quando non sempre misurati. La politica del linguaggio in questo scenario non sembra la cosa piú importante da perseguire, ma è invece quella da cui prendono le mosse tutte le altre, perché il modo in cui nominiamo la realtà è anche quello in cui finiamo per abitarla.

Ringraziamenti.

Alessandro Giammei, perché mi ha insegnato che il solo modo per riconoscere le parole giuste è guardare se fanno giustizia. Chiara Valerio, perché è tra le poche persone che conosco a prendere sul serio la tragedia semantica del nostro presente. Lorenzo Terenzi, per le serate passate a cercare queste parole, mettendole a fuoco fino a bruciarci. A Giulia Blasi, Maura Gancitano, Irene Facheris, Jennifer Guerra, Carlotta Vagnoli, Vera Gheno e le persone che si nascondono dietro i nickname LaDonnaACaso e PercentualeDonna, perché la loro militanza su tutte le piattaforme e la loro riflessione mi sono d'ispirazione ogni giorno e non mi fanno mai sentire sola.

Indice

Stampato per conto della Casa editrice Einaudi
presso ELCOGRAF S.p.A. - Stabilimento di Cles (Tn)
nel mese di marzo 2021

C.L. 24918

Edizione							Anno			
1	2	3	4	5	6	7	2021	2022	2023	2024

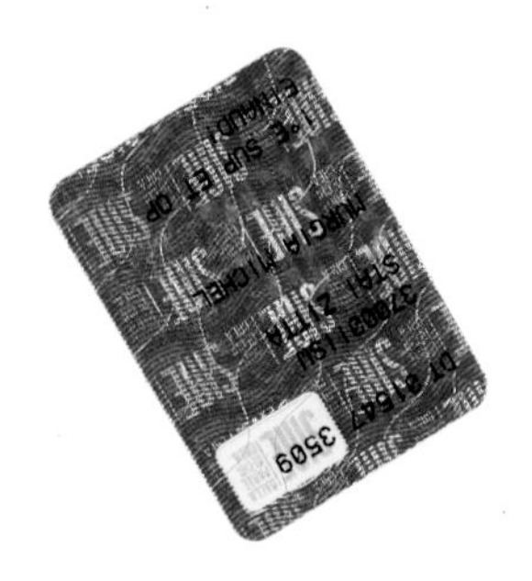